33 明代
西元 1368～1643 年 [注音本]

全新 吳姐姐講歷史故事

吳涵碧◎著

目錄

【第705篇】劉伯溫巧救小木匠。

明太祖朱元璋事事師法漢高祖。因此，漢高祖大建長安城，明太祖也大建金陵城。

漢朝初年遷齊楚大族以充實關中，明太祖也從浙江、應天府等地搬來一萬四千三百富戶於南京。

根據民間傳說，朱元璋原本是想在盱眙（今安徽省縣名）他老家附近建都的，他曾經指著盱眙十座山許願：『假如，有朝一日，我能當上皇帝，我一定在這兒建都，回報鄉親。』

但是，朱元璋眞的當上天子之時，他的想法又不一樣了。盱眙是個不起眼的小地方，說什麼也不適合做爲建都之地。不如南京，據形勢之地，長江天塹，龍蟠虎踞，可以立國。

但是，君無戲言，明太祖不能公然背信，出爾反爾。於是，他就想出一個耍賴的辦法：

有一天，他把文武百官都找了來，坐在盱眙山一個山頭上，故意裝作不經意地瞄來瞄去。然後，忽然大驚失色道：『奇怪，這兒原本不是有十個山頭嗎？怎麼竟然少了一個？』

衆臣丈二金剛摸不著頭腦，也跟著數了一數，沒錯啊，還是十座山頭

矗立。朱元璋漏數了自己腳下的這座山頭。但是，誰也不敢貿貿然回一句：『陛下算錯了！』

過了半晌，朱元璋彷彿發現新大陸似的，一拍大腿道：『看來，這兒不適合建都。』

敢情朱元璋在演戲。眾臣連忙陪著演下去，一個個毫不留情地批評起盱眙，眞彷彿當初不知那個笨蛋會想到在這個鬼地方建都。

甚且，還有那擅長拍馬屁者，做了一首順口溜，貼在盱眙城外：『盱眙十山九個頭，一道淮水向東流，此地財主無三輩，要做清官不到頭。』迎合朱元璋的朝令夕改。

南京城建於洪武二年，一直到洪武六年竣工，其規模之大，全國第一；

城垣之長，世界第一，東連鍾山，西據石頭，南接長干，北帶玄武湖，周長六十一里，城的高度平均在四十呎以上，以美麗的花崗石爲基，宏偉壯觀，迄今仍巍峨無恙。

盼了又盼，新殿終於落成了。朱元璋朝思暮想的美夢即將成眞，他簡直亢奮得不能自已。

於是，民間傳說，一個夏日的午後，朱元璋實在按捺不住，決定先瞧瞧去。

到了金殿門口，他仰望高聳入雲的紅牆琉瓦，深深地吸了一口氣，覺得有說不出的舒坦，邁開大步往前走。

入殿一看，頓時眼前一亮，尤其殿中央那象徵集全國榮耀於一身的寶座，眞是誘人。

朱元璋三步併爲兩步奔上前去，大搖大擺地坐上天子寶座，忍不住放聲大笑。『哈哈，誰也料不到我朱某會有如此一天。』

說著，朱元璋把鞋子踢掉，兩隻臭腳丫盤坐在龍椅之上伸懶腰。

想那朱元璋，原本是個紅軍小頭目，平日疏懶慣了，後來，地位愈爬愈高，也就不能不收拾起粗野的本性，到處都學讀書人端起身分。

不過，端久了到底難受，這一會兒，朱元璋得意忘形，就在那龍椅之上掏掏耳朵，摳摳鼻孔，最後還『啐』的一聲，朝地上吐了一口又濃又黃的痰，他自言自語：『這才舒服呢！』

朱元璋又唯恐把新鋪的花崗石地板弄髒了，連忙站起來，用衣角擦拭濃痰。

正在龍心大悅爽快的時候，朱元璋忽然聽到屋樑上有聲音，心下一驚，抬頭望去，只見一名小木匠，拿著鑿子，在做最後的雕飾工作。

朱元璋不動聲色，裝作沒看見人，信步往回頭走。他心中卻暗暗下了決定，這名工人不能留，非殺不可。萬一小木匠傳話出去，他的臉可丟大了。

話說蹲在樑上的小木匠，飛來橫禍，心中不斷撲通地跳個不停。他早聽說，朱元璋心狠手辣，他無意之間，看到新登基皇帝，如此輕狂不雅的醜態，看來小命不保。『哎，』小工長嘆一口氣，『怎麼這般倒楣！』

小木匠蹲在屋樑旁，正在懊惱之時，忽見劉伯溫在金殿外走過。他立刻一躍而下，跪在劉伯溫面前，哀聲討饒：『劉大人，請救小人一命！』

『怎麼回事，起來慢慢說。』劉伯溫慈藹地扶起小木匠。

小木匠囁嚅地說：『方才，我正在修理飛簷，皇上來了，他，他坐在龍椅上……』小木匠脹紅了臉，說不下去。

『你不用說了，我知道。』劉伯溫是何等厲害角色，朱元璋的粗鄙本色他見多了，心中暗想，朱元璋啊，中國人最重獨處功夫，你既然當上了皇帝，得要收斂一些啊。

劉伯溫正色對小木匠說：『你的困難，我可以幫忙。但是，方才的一幕，你可不能對人家說。』

小木匠滿頭大汗道：『小的有幾個腦袋。』

於是，劉伯溫吩咐小木匠：『如此這般。』

接著，劉伯溫一步也不敢躭擱地找到了朱元璋：『皇上，新殿落成，何不妨先去看看，有什麼不妥之處，也好早日修改。』

朱元璋不好意思告訴劉伯溫，方才去過了，還出了一個大洋相。只好再去巡查一回。

劉伯溫與朱元璋在金殿內四下察看，忽的，聽到『咳咳』的人聲，劉伯溫問道：『是誰？誰膽敢留在金殿？』

朱元璋一抬頭，還是剛才那小子，正拿著斧鑿，聚精會神地敲敲打打，完全充耳不聞。

『你是誰，怎不答話？』劉伯溫大聲地問了又問，小木匠還是不回答。最後，放下槌頭，指手劃脚，咿咿啞啞了半天，臉上掛著一臉傻笑。

劉伯溫對朱元璋說：『原來是個啞巴，別理他，讓他繼續做活吧！』

朱元璋一見小木匠是個啞巴，暗呼：『好險！』

假裝啞巴的小木匠見朱元璋、劉伯溫走遠以後，更是直拍胸口：『好險！』

劉伯溫的急智，保存了朱元璋的顏面，也救了小木匠的一命。

閱讀心得

【第706篇】沈萬三兩種版本的故事。

我們平日若是誇獎某人很有錢，往往會形容他像是『有了沈萬三的聚寶盆』。

到底有沒有沈萬三這個人？

沈萬三眞的藏有聚寶盆嗎？

今天，我們就來解這道謎。

先說眞實的沈萬三：沈萬三（一作沈萬山），明朝吳興人，字仲榮，後來，移居蘇州。

沈萬三原是秦淮河畔的漁户，後來，張三丰傳授他燒煉黃白之術的方法，一躍而爲江南鉅富。

此張三丰不是電視上上演的張三丰，電視劇中的張三丰，是宋朝的技擊家，又作張三峰，在武當山當道士，號爲洞玄眞人，以拳術名噪一時，稱爲内家拳，又稱爲武當派。

至於傳授煉術的張三丰，則是明代道士，名全一，又名君寶，因爲平日蓬頭垢面，不修邊幅，又稱張邋遢，據說他能數日不食，並能預知未來。

明太祖朱元璋定都南京以後，親自召見沈萬三，要求他每年捐獻白金千錠，黃金百斤，用以充實國庫。

沈萬三乖乖地一一照辦。但是，後來還是得罪了明太祖，被罰遠戍雲南（一說遼陽），然而子孫世代相襲，歷代仍爲著名的富戶。

由於沈萬三的富名不脛而走。因此，有好事者以訛傳訛，成爲民間故事中的聚寶盆。

民間傳說，朱元璋建好南京城以後，不知道爲了什麼，南京的城牆總是今天這兒塌了一塊，明天那兒缺一角，很讓朱元璋傷腦筋。

明太祖找了智多星劉伯溫出主意。劉伯溫皺著眉頭，盤算了半天，對朱元璋說：『這南京城恰好造在后土神方位之上，后土神每過個半年，總要伸伸懶腰，活動一下筋骨，因此，城牆不免東歪西倒。』

『這該如何是好呢？』明太祖眞是發愁。

『只有一個辦法，那就是在城牆之下，埝一個太乙盆。』

『世界上眞的有太乙盆嗎？』

『當然有，目前落入沈萬三手中。』

『沈萬三是怎麼得到太乙盆的呢？』

朱元璋實在是好奇，而且又羨又妒。劉伯溫坐下來，慢慢地說給朱元璋聽。

原來，沈萬三起初在浙江南潯，闖蕩多年，沒有混出什麼名堂，年過三十，一貧如洗，還是個王老五窮光蛋一個。

有一天，沈萬三忽然想起，聽說劉伯溫做得不錯，劉伯溫一向足智多謀，不如找他想想辦法。

主意拿定，沈萬三收拾些行李，連忙趕到碼頭，因爲欠缺盤纏，只能僱一條最破的破船。船主藍媽媽是個瘦瘦小小、黑黑乾乾的寡婦，一眼便知是個厲害角色。她的女兒梨午卻出落得標緻異常，白裏透紅的肌膚，彷彿掐得出水的水蜜桃，沈萬三自上了船，眼睛就繞著梨午打轉兒。

沈萬三衣著單薄，冷得直打噴嚏，他向梨午打躬作揖：『姑娘行行好，拜託借一個鐵盆烤烤火。』

梨午把個破船整個翻遍了，終於在船尾找到一個缺了一角的生鏽鐵盆，遞給沈萬三：『你將就著用吧。』

沈萬三生起了火，把凍僵的手呵暖。然後，掏出幾枚碎銀子，盤算著該如何省吃儉用。忽然間，一塊碎銀子落入火盆，一剎那之間，整個火盆堆滿了銀子。

『天啊！』沈萬三驚呼著，梨午與藍媽媽趕過來，也都看呆了，沈萬三把銀子統統取出來，丟進一塊隨身辟邪的玉佩，一會兒工夫，火盆中竟然堆滿了玉。

『好了，不能再試了，否則小船會撐不住重量了。』沈萬三捧著寶盆道：『我老早聽說，太乙眞人有個煉丹的太乙盆，掉落在人間，只要一加熱，放金金滿，放銀銀滿，不料今日竟落到我沈某手中。』

藍媽媽看在眼裏，直埋怨自個兒沒有早發現，一副心有未甘要發作的神情。聰明的沈萬三趕緊陪著笑臉：『一切好運都是梨午帶來的，不如把她嫁給我。』

藍媽媽樂得合不攏嘴：『船上沒有媒人，不如以海灣爲媒，你看如何？』

沈萬三一步向前，鞠躬到底：『請接受小婿一拜。』

這個水灣，後人稱之爲媒人灣。

沈萬三有了聚寶盆這個搖錢樹，不多時，成爲媒人灣一帶最有錢的大富翁，並且建了一座佔地遼闊、風景如畫的沈家莊園。

後來，劉伯溫幫助朱元璋，建立了明朝。沈萬三穿金戴銀去見劉伯溫：『我原本是要投靠你，現在有了聚寶盆，不得不誇一句，國在人手，財在我手，哈！』

劉伯溫勸沈萬三：『你可不能像個財大氣粗的暴發戶，要稍微收斂一點兒。』

沈萬三不聽，到處招搖。劉伯溫心想，財富會使人瘋狂，這個聚寶盆無論落入誰手，都會帶來不測。因此，他把聚寶盆的事，稟報了朱元璋。不出劉伯溫所料，朱元璋不但想要聚寶盆，而且馬上就要。於是，沈萬三只好把聚寶盆捧進了宮。

朱元璋對沈萬三說：『朕要鑑賞一下，你現在是一更天送進來的，朕五更時便還你！』

沈萬三沒有討價還價的餘地，滿頭大汗出了宮，焦急萬狀地在宮門口等候。（古代計算夜間的時刻，一夜分爲五更，一更二小時。）

『哆哆哆哆』『哐』『天乾物燥，小心火燭』，更夫緩緩走過，沈萬三心忖，天啊，好容易捱到四更，到了五更，就可以把寶貝拿回來了。

沈萬三睜大眼睛，豎起耳朵，等著更夫打五更，可是，說也奇怪，居然沒打五更就天亮了。他這一急非同小可，急忙衝入宮內理論。

朱元璋板起臉孔：『朕不是說，敲五更時還你嗎？』

沈萬三吃了啞巴虧，心裏不服氣，急著要分辯，朱元璋先發制人，把沈萬三罰到四川充軍。

原來，朱元璋耍了一個陰謀，他降了一道旨令，規定南京城裏不敲五更，把聚寶盆騙到手，埋在南京城牆下。

閱讀心得

【第707篇】

皇婆亭憶美食。

以前小朋友若是吃飯不乖，挑三揀四，嫌菜色不合胃口，長輩經常會教訓道：『你忘了皇婆亭的故事嗎？』

原來，這又是朱元璋一段膾炙人口的小故事。

民間傳說：朱元璋初起的時候，有一回，經過南昌，眞是慘透了。他原是個大胃王，每餐非五六碗不飽，這一回卻整整三天三夜沒有進食，肚子餓得『咕嚕咕嚕』直叫，而且叫得很大聲。

朱元璋的部隊，一心巴望到了南昌這個大地方，痛痛快快打場牙祭，慰勞一下飢腸轆轆的五臟廟。

豈料，南昌的老百姓，聞說大軍壓境，嚇得收拾細軟，紛紛躲到鄉下去避難了。

朱元璋拖著疲憊的身子，按著凹下去的肚子，失魂落魄在街上閒逛。

忽的，一陣熱香灌入朱元璋的鼻子，他用力地吸一吸，只覺鼻孔翕張，舌頭上的味蕾都在總動員。

朱元璋循著香氣一路尋來，只見一個臉孔圓圓、面目慈藹的老婆婆正在低頭進食。

他湊近一看，原來是碗大麥碎飯，上面淋了一些醬油，撒了少許蔥花，

眞是香啊，朱元璋的喉頭，彷彿有無數的小蟲子搔得他好癢，只好不斷地猛嚥口水。

一會兒，肚皮又『咕嚕咕嚕』開始抗議了。朱元璋羞紅了臉。老婆婆回頭一望，發現一個大塊頭壯漢在一旁吞口水。她笑嘻嘻道：『你也來一碗吧。』

『謝謝大娘。』朱元璋猛點頭。

老婆婆蹣跚走入廚房，朱元璋亦步亦趨跟在後面。只見老婆婆打開瓦鉢蓋，一股熱氣直往上冒，她舀了一碗，朱元璋雙手接過，嘗了一口，熱、濃、香、稠，簡直美極了！

朱元璋在行伍之中，一向是狼吞虎嚥，如今，美食當前，他可捨不得，小口小口的品嘗，每一口都比前一口還要鮮美，忍不住轉身對老婆婆說：『大娘的手藝堪稱天下第一。』

雖然朱元璋盡量的細嚼慢嚥，到底只有一小碗，一會兒就吃光光了，他好想對老婆婆說：『再來一碗吧！』可是老婆婆也是窮苦人家，怎好意思再開口。

朱元璋謝過老婆婆就上路了。以後，在餐風宿露，三餐不繼的軍旅生活中，夜闌人靜之時，想起大麥碎飯的美味，他只好乾嚥唾沫，並且以『打下天下之後，痛痛快快吃他個過癮。』砥礪自己奮發向前。

經過了多少忍耐，多少煎熬，朱元璋終於如願以償登上帝位，建立了明朝，他不必再捱餓了。

朱元璋雖以節儉著名，皇帝到底是皇帝，御廚裏山珍海味，應有盡有，美味嘗得多了，根據經濟學原理，邊際效用遞減，他經常面對滿桌子的佳肴美食，唉聲嘆氣：『根本無下箸之處。』箸是筷子，表示沒菜可供筷子夾。

有一天，朱元璋做夢，又夢到那個圓臉婆婆，還有她手上端的熱氣騰騰、誘惑力十足的大麥碎飯，睡夢之中，朱元璋貪吃的口水流滿整個枕頭。

第二天一早醒來，朱元璋立刻吩咐下去：『朕吃膩了難吃的大魚大肉，誰會做大麥碎飯？』

帶頭的首號御廚心中一愣，皇帝怎麼要吃這種粗食，口裏不敢說，只好訥訥地問：『不知陛下的大麥碎飯，裏面要放些什麼？』

『什麼都不要，只要淋些醬油，做得好的，那可是人間第一美味。』

朱元璋想起南昌那一頓，可真是念念難忘，想著想著都發癡了。

御廚眞是惶恐極了，他怎麼也想像不出來，簡簡單單的大麥碎飯，能變出什麼花樣，又能好吃到那裏去。他偷偷地擱了一些雞湯提味，誠惶誠恐把大麥碎飯捧了上去。

朱元璋興奮地直搓手，心想：『終於得償宿願了，今天我要吃多少碗就是多少碗！』

一嘗之下，朱元璋『呸呸呸』把吃進去的全吐了出來，並且大發脾氣：『這是砂石，不是大麥碎飯，朕的話你聽不懂是不是？』

這個倒楣的廚師，莫名其妙被關入大牢。

第二個廚師也嘗試做大麥碎飯，這一回他偷偷用上好的海鮮熬成汁，與大麥碎飯拌勻，一面心中唸『阿彌陀佛』地端了上去。

但是，顯然菩薩還是沒能保護他，朱元璋氣得連飯帶碗全給砸爛了。

第二個廚師又被關入牢中。

心地仁慈的馬皇后，實在看不過去了。她想幫廚師的忙也幫不上，她同樣不能理解，一瓢醬油一點蔥花能夠變出什麼美味。

馬皇后到底是個聰明人，她靈機一動，提醒朱元璋：『不如把當年的老婆婆找了來，到宮裏做給你吃！』

『這是好主意，我怎麼沒有想到？』朱元璋拍著大腿直叫好，他誇獎馬皇后：『還是你好，我的饞癮終於可以解了！』

由於朱元璋對大麥碎飯情有獨鍾，因此，他拿起筆，立刻畫好了地圖，差人連夜把老婆婆請入宮中。

老婆婆到了御廚房，大大小小的廚師都圍攏過來，準備向『天下第一廚娘』討教討教。結果，什麼秘訣也沒有，老婆婆眞的只是煮好了飯，撒些蔥花，淋點醬油。

一旁的廚師都看傻了：『這麼簡單我也會，皇上就愛吃這個？』

朱元璋見老婆婆端來了朝思暮想的美味，不覺饞涎欲滴。迫不及待吃了一口，朱元璋發現，不但沒有痴想時的香，而且平淡無味。

他正要開口抱怨。老婆婆說話了：『我們新昌有句老話，做是嬉好，吃是飢好，你當年餓得前胸貼後背，吃什麼都好吃，現在當了皇帝，天天山珍海味，嘴都吃刁了，這種粗食進不得口了。其實，宮裏大麥的品質，可比你當年吃的好太多了。」

朱元璋聽得連連點頭：「這就叫飢不擇食，我該牢記當年的辛苦。」

爲了感念老婆婆的一飯之恩，一席之言，朱元璋特在新昌建了一座『皇婆亭』，被關入牢中的廚師也放了出來。

閱讀心得

【第708篇】

元妙觀的招牌素麵。

上一回，我們說了『皇婆亭憶美食』的故事，許多讀者反應『極爲有趣』，中國人是個酷愛美食藝術的民族，我們再講一則朱元璋與吃有關的民間傳說。

據說，朱元璋當了皇帝以後，仍然經常微服出巡，東走走、西看看，探訪民情。

有一天，他喬裝爲一個教書先生，信步走到南京西郊的元妙觀，只見萬頭攢動，人潮洶湧。

朱元璋好奇地拉住一位遊客問：『前頭發生了什麼事？』

『沒什麼事啊。』行人不知問者是當今皇帝，沒好氣地給了朱元璋一個白眼。

『幹嘛大家都往前擠啊？』

『每天都是這樣的啊，你不曉得啊，這元妙觀的道士，手藝高超，他們賣的素麵啊，遠近馳名，要買要早，遲了就只好等明天了。』說著，行人著急地往前奔去。

朱元璋是窮和尚出身，廟裏的素食，他吃多了，也吃怕了，一點油水也沒有，怎麼會可口呢？不過，元妙觀前果然是人山人海，都擠著想吃一

碗素麵。

朱元璋也加入了排隊的行列，等了幾個時辰，腿也痠了，背也彎了，終於買到一碗素麵，噴香噴香的，裏面沒有任何其他作料，只是乾乾淨淨的麵條，澆上一大勺醬油麻油拌蔥花，絲毫不油膩，卻又如此清淡爽口，朱元璋意猶未盡，差點兒想暴露身分，告訴元妙觀道士，趕快孝敬皇帝一大碗。

回到宮裏，朱元璋趕緊把方才的情況告訴馬皇后，對她說：『晚上還想再來一碗，有這麼一碗好吃的素麵，其他菜都可免了。』

皇帝點了菜，廚師們自然奉命照辦，爲了害怕湯頭不夠鮮，還特別熬了香菇做高湯。

可是，朱元璋一嘗，立刻變了臉色，大發脾氣：『這麼難吃，簡直與皇覺寺裏的麵條差不多嘛！』

『氣死了，朕當了皇帝還要再受小和尚的罪！』朱元璋一怒之下，竟然把廚師給殺了。

擅長烹調的馬皇后心忖，素麵的變化有限，只能在豆乾豆腐身上打轉兒，了不起擱幾朵冬菇，如何『清水變鷄湯』，此中必有奧妙。於是，馬皇后派遣一名機靈的小太監，打扮成小流浪兒的模樣兒，到元妙觀裏當小道士。

元妙觀氣魄雄偉，五步一樓，十步一閣，廊腰縵迴，簷牙高啄。小太監到了元妙觀心下一驚，直呼『好氣派！』接著，他發現，觀裏的道士還眞不少，起碼有數百人之多，單靠化緣的錢，可是絕對不夠的。沒多久，小太監就發現了元妙觀的秘密，原來，在元妙觀後頭一個隱密的院落裏，道士偷偷養了幾百隻雞。

道士吃素，養雞幹啥？小太監疑雲大起，莫非道士的素麵是用雞湯煨的？但是，不對啊，雞湯有一層黃澄澄的油水，撇也撇不乾淨，很容易被識破的。

小太監不動聲色，暗中又觀察了幾天。結果被他識破了機關。原來，道士每隔個幾天，殺他個幾隻肥嘟嘟的老母雞，把雞毛燙開之後拔光，剔骨，然後曬成雞肉乾，再磨成粉末，與麵粉拌勻。雖是夠費功夫，麵條的滋味畢竟不同凡響。

查出秘密以後，小太監本想立刻開溜。繼而一想，不對啊，就算是土雞麵，坊間也有不少雞麵，可就沒有元妙觀的素麵可口，看來問題不只是在雞湯之中。

小太監個兒小，身手靈活，走路沒聲音，偷偷跟在道士身後，不會被注意到。

過了幾天，小太監發現，有些個道士，平日不誦經，一早便往山裏跑，他也悄悄跟了去。

這一跟，跟出了端倪，道士居然獵殺野雀子，而且不捕殺其他動物，專門捕野雀，一袋一袋運回來。

元妙觀的廚房，戒備森嚴。不過，道士們把一袋袋野雀往炊房裏送，不問可知，是用野雀子熬成湯，難怪不油不膩，又格外地鮮美。

既然打探到了秘訣，小太監飛也似的溜回宮中，一五一十稟報馬皇后。

馬皇后就把廚師找了來，請廚師依樣畫葫蘆。當天晚上，就端出了元妙觀的招牌素麵。

朱元璋本來已經放棄希望，沒想到今日一嘗，喔，眞是好吃，清香可口，吃得他直巴達嘴，十二萬分地滿足的解了饞癮，比呆呆痴想時還要香。

朱元璋大快朵頤之後，把廚師喚了來，詢問他如何突飛猛進。

廚師不敢隱瞞，老老實實地說了。換了旁人，哈哈一笑就過去了，朱元璋可不，他認爲元妙觀的道士欺騙了他。

當夜，朱元璋以元妙觀道士『欺君欺民』爲理由，把元妙觀殺個精光，連觀裏養的雞也連帶遭了殃。

後來，朱元璋把元妙觀改爲朝天宮，做爲文武百官演習朝拜皇帝之處。宮門外邊，立了一塊牌子，上面刻著『文武百官到此下馬。』

殺了道士以後，朱元璋自己反省，爲了區區一碗不是素麵的素麵，如此大開殺戒，實在有欠仁厚。因此，他編了一首順口溜，命人四處去唱：

觀裏道士不像樣，雞絲素麵葷肉湯，
欺世欺民騙皇帝，馬腳敗露把命喪。

朱元璋的用意是昭示天下，欺世欺民無所謂，騙了我朱皇帝，下場便是如此。

閱讀心得

【第709篇】鳳陽花鼓討飯歌。

『左手鑼，右手鼓，手拿著鑼鼓（來）唱歌，
別的歌兒我也不會唱，只會唱個鳳陽歌。
鳳啦鳳陽歌兒來，得兒噹噹飄一飄，
得兒噹噹飄一飄，得兒飄，得兒飄，
得兒飄得兒飄得兒一得兒飄呀飄一飄。』

這一首旋律優美，悅耳動聽的鳳陽花鼓是人人朗朗上口的好歌。可是，

很少人知道，這首歌曲與朱元璋有關。

民間傳說，朱元璋小時候，他家鄉鳳陽（即濠州），流行花鼓戲，又稱爲『鳳陽花鼓』，『打花鼓』，或者『花鼓舞』。

花鼓戲表演的通常是兩個人，一男一女，男的敲鑼，女的打兩頭鼓，邊唱邊舞，多半是形容家破人亡的悲苦。

唱詞極爲淺白，多半用疊字，前二句各三個字，後二句各七個字，與西南地區的花鼓戲近似。

朱元璋小時候，是個成天在外頑皮的野孩子，他很歡喜跟在唱花鼓的後面，學著哼哼唱唱，覺得是貧困單調家居生活中的最好調劑。

那時誰也沒想到，這個拖著兩條鼻涕，打著光脚，模樣不討人喜的小

鬼頭，竟然有一天當了皇帝。

朱元璋登基的消息，傳到了安徽鳳陽，這個窮鄉僻壤的小地方，鄉里們簡直樂瘋了，不曉得該如何表達心中歡喜，只在街上快樂地走來走去，彼此互賀：『想不到啊，咱們鳳陽出了一個皇帝，眞是鄉里之光。』

鳳陽城裏有頭有臉的鄉紳們，儘管當年不把朱家瞧在眼裏，現在可不一樣了。一個說：『在皇上小時候，我就看出他不凡。』其實，朱元璋小時候放牛，經常挨打，誰也沒有看出他有什麼能耐。

另一個接口：『還不是咱們鳳陽有天子之氣。』

大夥兒七嘴八舌道：『反正，我們鳳陽從今天起不一樣啦，當今天子是大夥的老鄉，我們應該推派代表，入京賀一賀。』

『對，對。』個個附和，誰都想趁這個機會入京，也許順便可以討個一官半職。於是，家有資產者固然想去，就是缺乏盤纏者，也都想跟去開開眼界。

可是，『該帶什麼禮物呢？』不知是誰提出了問題，眾人陷入一片沉默之中，鳳陽是個小地方，特產是災荒不斷，實在無啥可獻寶的。

『咱們湊錢打金飾！』李老爹提議。

『開玩笑，做皇帝的，要金有金，要銀有銀，誰在乎你的小小金飾。』

『說的也是。』李老爹訕訕地笑起來，覺得怪不好意思的摸摸光頭。

王大娘忽道：『不如帶一些芝麻去！』在鄉下人心目之中，芝麻可是名貴的好東西了。

王大娘這一開口，個個都笑彎了腰，王大娘老臉掛不住，生了氣：『這也不行，那也不行，算來算去，咱們鳳陽只有打花鼓算是特產了。』

王大娘一語提醒夢中人，鳳陽鄉親們都頻頻點頭：『對啊，想當今皇帝離家不少日子，一定很久沒聽過了。』

一旁有個自小與朱元璋鬧著玩的小李忙接口：『我記得他自己還會唱哩！』

主意已定，大夥便積極排練花鼓歌，還新編了一些吉祥的曲調，浩浩蕩蕩開往京城。

俗話說得好，『衣錦還鄉』是人生最得意之事。朱元璋沒空回鳳陽，能在親朋好友之前露露臉，也是挺有光彩的。因此，朱元璋堆了一臉笑容道：

『太好了，自我投効軍旅以後，還沒有聽過打花鼓哩。』

朱元璋一樂，鄉親們更樂了，禮物送對了當然是件窩心事，尤其是能博得皇帝一樂，以後的好處可說不完。

於是，鄉親們預備大顯身手。

不料此時，太監前來跪報：『皇上萬歲，萬萬歲，請皇上用膳。』

俗話說，『吃飯皇帝大』，一個普通百姓吃飯時也與皇帝一般重要，更何況是眞正的皇帝呢。

鳳陽鄉親們趕緊收拾鼓鑼，準備等朱元璋用膳完畢再表演。

可是朱元璋正在興頭上，他吩咐道：『吃飯急什麼，先唱花鼓再說。我們先唱後吃！』

既然朱元璋有令，鳳陽老鄉們便打起槌，擂起鼓，精神抖擻地舞了起來，『咚咚嗆，咚咚嗆，咚咚嗆咚咚咚嗆……』

一聽到這熟悉得不能再熟悉的曲調，朱元璋整顆心都熱了起來，不由自主地跟著旋律，用手在大腿上打著拍子，恍惚之中，彷彿回到了童年，他興趣盎然地跟在花鼓隊的後面，卻總是遭人嫌惡，一再被驅趕。他又死皮賴臉地跟了上去。

想想當初的窘迫，再看看眼前鄉紳巴結的惶恐模樣，朱元璋情不自禁高喊：『好，再來一個。』

就這樣，一首接一首，鄉親們鳳陽花鼓唱得不亦樂乎，朱元璋聽得不亦樂乎。過了許久許久，朱元璋才想起來要吃飯，他興致勃勃地說：『各位鄉親父老，我今天有幸做了皇帝，不會忘記各位。以後，各位有福氣的當官，沒福氣的替我看陵墓，一年到頭，就這麼哼哼唱唱，過著快樂逍遙的日子，現在，大家痛快地吃喝一頓吧！』

也許朱元璋錯在先聽花鼓後吃飯，日後，鳳陽的飢荒一年比一年嚴重，鳳陽人逼不得已，背著小花鼓，到處去討飯，討飯之前，照例先載歌載舞來一段兒，眞正是『先唱後吃』。

後來，有人埋怨朱元璋不該『先唱後吃』，眞的一年到頭，哼哼唱唱，卻不見得快樂逍遙。因此，編了一首花鼓歌唱道：

『說鳳陽，道鳳陽
鳳陽本是個好地方

自從出了個朱皇帝
一年倒有九年荒！』

閱讀心得

【第710篇】

朱元璋賜春聯。

在春節期間，許多人家的大門上，都會貼上一副春聯，討個吉利。最常見到的春聯便是『天增歲月人增壽，春滿乾坤福滿門』。春聯到底是怎麼來的呢？這是個有趣的話題。一般說來，大致有兩種不同的起源。

一說是春聯是起於古代的桃符板，相傳五代之時後蜀孟昶曾經題句『新年納餘慶，佳節號長春』於桃符板之上。後來人們模仿起孟昶，以紙爲板，寫一些吉利的話，貼在大門兩邊，爲農曆新年帶來歡樂的氣息。又稱之爲『門對』、『春帖』。

另有一說，與朱元璋有關係，朱元璋肚裏的墨水有限，卻好舞文弄墨，他的字寫得也不怎麼樣，卻有表演的癮頭。

有一年，臘月二十八日，朱元璋心想，快過年了，回想小時候，雖然沒好吃沒好穿，到了過年，還是興奮得不得了。當了皇帝以後天天雞鴨魚肉，吃得相當豐富，倒反而缺乏過年的興致。不如微服出巡，看看老百姓過年的情形。

朱元璋正要出門，轉念一想，不對啊，待會兒文武百官見不到皇帝，豈不是鬧得天下大亂。

他靈機一動，找來一張紅紙，濡筆寫上『過年不朝回鄉去，開春奏來民間情』。橫批是『與民同樂』。貼在午朝門上，然後瀟瀟灑灑地帶著隨從出去逛了。

一會兒工夫，百官照例上朝，等了又等，捱了又捱，就是不見皇帝，想朱元璋一向勤快，眾臣們都有些擔心，該不會是皇上病了吧？忽的，有個大臣指著午朝門上的對子驚呼：『你們看！』眾臣一致望去，相對而笑：『原來皇上放我們返鄉假，太好了！』

於是，大臣們紛紛趕回去，收拾行囊帶著禮物回老家。由於是朱元璋命令返鄉，大臣們還不敢不回去，萬一開春之後，皇上問起『民間情』一問三不知，可不是鬧著玩的。

有些個大臣回去之後，也效法朱元璋，弄一張紅紙，寫副對聯，掛在牆上。中國讀書人一向講究書法，字寫得好不好與考場分數大有關係。大臣們也正好露一露，表現黑大圓光或是堅挺俊俏的書法。

一時之間，貼春聯成爲時髦的玩意兒，一般小市民望著豪門巨宅的春聯，眞有十二萬分地羨慕，卻又不敢效尤。

朱元璋微行歸來，聽說自己無意之中帶動流行風氣，十分地開心。並且傳令，無論貴賤，家家戶戶都可以貼春聯，表示他『與民同樂』也。

到了第二年春節前夕，朱元璋再度微服出巡，他想去做個民意調查，確定春聯流行的程度。

朱元璋挨家挨戶地察看，發現名堂還眞不少，大大小小的對聯，有長有短，對句中有吉祥話，也有歌頌皇帝的，朱元璋最歡喜看這種，笑得眼睛都瞇了起來。

一直到快吃年夜飯的時候，朱元璋還捨不得回宮。

一旁的侍從可緊張了，眞是『皇帝不急，急死太監』，因爲再往下走，就是貧窮偏僻之處，非但有礙觀瞻，而且惟恐安全上有個閃失。

朱元璋正在興頭上，誰也攔他不住。他大踏步向前，發現一間破宅門上光禿禿的，沒有貼春聯。

朱元璋一張臉，馬上就垮下來了，他不悅地說：『奇怪，他爲什麼不貼春聯？』說著，便喚侍從敲門。

『碰碰碰！』侍從敲了半天，出來一個闊臉方腮，眼暴耳大，貌醜形粗，胳膊上搭著一條髒兮兮油膩膩毛巾的壯漢，沒好氣地說：『你們敲什麼敲？』敢情是個屠夫。

侍從正要開口，朱元璋先問了：『你爲什麼不貼門對子？』

壯漢用髒毛巾一抹滿臉臭汗的臉，從鼻孔哼了一聲：『奇怪了，我爲什麼非要貼門對子？』

『不是皇上有旨嗎？』朱元璋問道。

『不貼門對子就不能過年嗎？』壯漢叫起來抗議。

朱元璋捺著性子解釋：『不是這個意思，我是想知道，是不是地方官員，從中搗鬼，沒把詔書發給大家。』

壯漢笑道：『有沒有發通知，我可不曉得。不過，發了我也看不懂，我嗎？嘻嘻，每天是白刀子進、紅刀子出，只管殺……』

壯漢『殺豬』二字尚未出口，侍從可是嚇壞了，就擔心他真說出『殺朱』，朱元璋又要殺人，趕緊大聲斥下：『大膽屠夫，萬歲爺在此，還不趕快下跪？』

壯漢一聽，毛巾一扔，連忙跪下來討饒：『請饒小的一命，小的不識字，無法貼對子。』說著說著，竟嗚嗚哭了起來。

要是換了平常，朱元璋一火，這個殺豬的就沒命了。可是今兒個是年三十，殺人晦氣，而且壯漢又不曉得來人是皇上，不知者不罪。

所以，朱元璋反而好言好語安慰壯漢：『你不識字、不貼門對子，不能怪你，這樣吧，朕賜你一副對子。』

『眞的？』壯漢大喜過望，接著又嘆氣：『可是小的家中沒紙沒筆。』

『這個不用你發愁。』朱元璋笑著安慰。話還沒有說完，侍從已經捧著紙硯走進來。

朱元璋爲表現自己的才高八斗，拿起筆來一揮而就：『雙手劈開生死路，一刀割斷是非根。』

屠夫也不知道朱元璋寫些什麼，急忙磕頭謝恩，一旁的侍從當然拚命誇好，朱元璋自己是洋洋得意。

民間傳說是否事實，不得而知。不過，朱元璋到底肚裏的墨水有限，頂多只能胡謅打油詩倒是眞的。

閱讀心得

【第711篇】百貓坊破風水。

在南京城的南彩霞街，過去有一座牌坊，十分的奇特，上面雕刻著一百隻貓咪，每隻貓咪姿態各異，栩栩如生，看過的人都嘖嘖稱讚。原來，其中又有一段朱元璋的故事：

民間傳說，這座大宅是朱元璋爲著感謝俞家兄弟，特地爲他們起的宅子。

朱元璋初起兵之時，隨著老丈人郭子興，佔領了和州（今安徽省和縣），並且放出大批良家婦女，和州百姓都歡天喜地，朱元璋自己也相當得意。

但是，沒過多久，朱元璋就開始傷腦筋了。原來和州是個小地方，被元軍圍攻幾回以後，開始大鬧糧荒。朱元璋經常一個人，對著長江浩浩蕩蕩的大水搖頭興歎。過了長江，對面的太平（今天安徽省當塗縣）物產豐饒，是古來著名的魚米之鄉，奈何沒船沒人，如何能過去？

和州地方人氏建議朱元璋：『想過巢湖，非得借重俞家父子不可。』俞家帶頭的是俞廷玉，他有三個長得彪形大漢的兒子——俞通海、通源、通淵。一家都在巢湖大頭目李扒頭手下當差。

正巧俞家近日與和廬州紅軍左君弼起了衝突，一心一意想要報仇，派人來向朱元璋求救兵。朱元璋大喜過望，親自到湖泊裏去拜訪俞家三兄弟，

俞家兄弟覺得很夠面子，宰了一頭黃牛，大夥痛痛快快吃喝一頓。

俞通海喝得滿臉通紅，拍著胸脯道：『承蒙朱老大看得起，我等不怕天、不怕地，我們聽你的吩咐，水裏，水裏去；火裏，火裏去，這腔熱血本來是要賣給識貨的！』說著，直用手拍脖頸：『我弟兄三人，保證捨命到底……』

果然，俞氏兄弟拚足全力，幫助朱元璋渡過巢湖，攻下太平，並且把李扒頭灌得酩酊大醉，綑手綁腳，丟到江裏餵魚。朱元璋從此擁有海軍。

俞家三兄弟之中，又以俞通海最爲驍勇善戰，尤其是在對張士誠一役之中，情況相當危急，諸將有意暫退，俞通海說什麼也不肯，他說：『彼衆我寡，愈退愈糟，不如力戰。』

力戰之下，張士誠矢如雨下，一不小心，傷了右眼，流血不止，成了獨眼龍。

雖然一目失明，擊潰陳友諒一役之中，俞通海仍是建功最多，眞的是『水裏，水裏去；火裏，火裏去。』

後來，桃花塢之役之中，俞通海又受了重傷，被抬回金陵。朱元璋親自去看望他，輕聲問道：『平章（俞通海官拜中書省平章政事），知道我來看你嗎？』

俞通海此時已陷入昏迷，不能言語。朱元璋揮淚而出。第二天，俞通海就死了，只有三十八歲。朱元璋追封爲豫國公，享太廟，洪武三年改封虢國公，謚忠烈。

由於俞家三傑爲明朝都出了大力，朱元璋就決定爲他們造一座特別的宅子。

宅子造好了，果然是雕樑畫棟，花木扶疏，氣派不凡。看在有心人眼中十二萬分地不是滋味。於是，有個小人跑到朱元璋面前進讒言：『陛下爲俞家造這麼好的宅子，固然是陛下仁厚，只不過，唉……』不肯說下去了。

『只不過什麼？』

『只不過陛下沒發現嗎？俞宅上方，王氣圍繞，這不是好事，更何況，俞通海一家三傑，對部下寬厚，俞家後代又個個爭氣。』

『後代爭氣』這句話，打入朱元璋心坎之中，不自覺皺緊了眉頭，因爲他的子孫可不爭氣啊！想到這兒，朱元璋怒由心生，冒起火兒：『那麼，拆掉它，拆掉房子就不愁有王氣啦。』

劉伯溫一聽，心中暗暗發愁，俞宅若是拆了，朱元璋氣也消了就罷，怕的是萬一拆了屋，奸臣進一步落井下石，那麼，俞家豈非是飛來橫禍？

劉伯溫是個有急智的人，而且懂得如何保全皇上的顏面，他胸有成竹道：『俞宅的房子是高了一點，不免有人誤會有王氣，若是把剛剛建好的宅子拆掉，豈不太浪費，同時有傷皇上的仁德。最好是既不必拆屋，又可以破王氣。』

朱元璋向來節儉，一向見不得浪費，因此這話頗爲入耳，他極有興趣道：『莫非軍師又有什麼高見？』

『其實倒也不難，』劉伯溫獻計：『魚（俞）總要入海才能成龍。魚最怕貓，我現在派貓把守，魚只消一有蠢動，貓兒就把魚吞入肚裏。免得剛剛建屋又拆屋，弄得人心惶惶。』

朱元璋點頭稱：『妙！』

於是，劉伯溫在俞宅周圍擺起了八卦陣，俞家門前牌坊，足足刻了一百隻貓，虎視眈眈監視著，對門挖一口井，表示魚入了井，到不了大海。然後，後門建個堵門窗，東邊設個釣魚（俞）台，西屋再來一個竿（趕）魚。

若是有一天，這條魚不聽話，那麼一百隻尖牙利爪的貓，看魚兒往那邊逃，萬一有幸逃出，後面堵，東邊釣，西邊趕，一層又一層，看魚往那兒逃。

劉伯溫佈置好以後，朱元璋親來探訪，確定魚兒入不了海，成不了氣候，心中大樂，也就放過俞宅了。

其實，古來建都之地，所謂的王氣也不能維持多久，再說，朱元璋家境清寒，連個遮風蔽雨的地方都沒有，妄論王氣，他還不是當了皇帝？

可是，中國人對風水，一向是寧可信其有，不可信其無，因此，迄今民間傳說，南京西門小巷彎彎曲曲，彷彿走迷魂陣，就是劉伯溫擺的『八卦陣』、防堵魚（俞）兒入海當大龍。

【第712篇】

汪媽媽千里送鵝毛。

民間傳說自從鳳陽縣鄉親入京見了朱元璋，表演了一段鳳陽花鼓以後，回到家鄉是不厭其煩，說了又說。由於鳳陽老鄉個個與有榮焉，因此也是聽了又聽，不厭其煩。

幾乎每一位老鄉，嘮嘮叨叨形容了一大段之後，總會加上一句：『汪媽媽該去的，皇上還問起她呢。』

汪媽媽皺得如紅棗般的臉兒，笑容一擠，皺紋更多了，卻有說不出的慈祥，她喜孜孜地說：『難得重八這個孩子還挺念舊的。』

『不是重八，是皇帝。』

一旁的老鄉趕緊糾正。

朱元璋小時候，是個惹人討厭的孩子，長相醜陋不打緊，既不懂得禮貌，又歡喜帶頭搗蛋，爹不疼娘不愛，左鄰右舍見了他總搖頭。

唯獨汪媽媽心腸軟，見這個孩子沒人歡喜，憐他肚子餓，經常塞他一個饅頭，幾個番薯。朱元璋貪吃，有事沒事老膩在汪媽媽身旁，有時，汪媽媽也讓朱元璋幫忙做點粗活。

汪媽媽被左鄰右舍這麼一慫恿，心裏頭好樂，沒想到活了一輩子，有如此風光的一天，當下決定了：『好，我這就去！』『去看我的寶貝乾兒子。』

可是，千里迢迢趕了去，總不能兩手空空，但是家徒四壁，實在揀不出像樣的東西，正在發愁之時，兩隻肥鵝『哦哦哦』拉著破嗓子一搖一擺走了進來。

汪媽媽忍不住噗哧笑了起來，她記得，朱元璋小時候天不怕、地不怕，最怕她家裏幾隻鵝，這些鵝兇得很，每次都追著朱元璋跑，有一回還把朱元璋僅有的一條破褲子咬破。『也罷，就帶這兩隻大白鵝去！』說著，又拎了一罎紹興酒出發了。

汪媽媽瘦瘦小小的身軀，帶著兩隻鵝、一罎酒辛辛苦苦翻山越嶺，兩隻大白鵝被綁得難受，一路上嘎嘎抗議不已，汪媽媽一連幾天折騰下來，真是老眼昏花，頭疼不已。

汪媽媽的小船渡過長江之時，兩隻大白鵝，多日未見水，興奮地叫個不停，卯足全力想往下跳。

汪媽媽緊張得握緊麻繩，冷不防，白鵝奮力掙脫了繩索。汪媽媽伸手一抓，只抓到一撮鵝毛，白鵝撲通一聲跳入水中，快樂得猛拍翅膀，向前游去。

汪媽媽望著手中的鵝毛，忍不住嚶嚶地哭了起來，一個不留神，把身邊的酒罎子給打翻了，這下子，汪媽媽更傷心了，又沒錢買禮物，只好如此狼狽的入宮找朱元璋。

朱元璋見到汪媽媽，眞是十二萬分的高興，他露出難得一見的孩子氣笑容道：『沒想到重八有這麼一天吧。』

『只可惜……』

『可惜什麼？』

汪媽媽把怎麼丟了鵝，又打翻了酒罈子的事訴說了一遍。

朱元璋如今是『普天之下，莫非王土』整個國家都是他的了，那兒在乎兩隻鵝。

因此，他安慰汪媽媽：『別哭了，這叫千里送鵝毛，禮輕情意重。』

汪媽媽這才破涕爲笑，從此，留在宮中享清福。

不過，『千里送鵝毛』的成語卻不是這麼來的，蘇東坡的詩中早有『且同千里寄鵝毛，何用孜孜飫麋鹿。』『揚州以土物寄少游詩』。比喻物輕而情意重，多半用在遠道贈送親友禮物，自謙價值微薄。

除了汪媽媽是朱元璋的嘉賓以外，朱元璋小時候一同放牛的難兄難弟也成了貴客。

有一天，他六個結拜兄弟大模大樣入宮找朱元璋，他們還是鄉下人的淳樸熱情，開口就是：『重八你發了，當皇帝。』也不顧皇帝的尊嚴，一巴掌就用力拍在朱元璋身上。

朱元璋很不開心，他不願意讓底下人看到，原來皇帝的結拜兄弟就如此沒程度，但是，又不便發火，脹紅了臉勉憋著。

那六個兄弟可是毫無察覺，東摸摸，西坐坐，嘴巴張得大大的，露著一臉傻笑。

忽的，有一個開了口：『對啦，大哥當了皇帝，應該封官給咱們。』

『不行！你們又沒有戰功，憑什麼封官？』

『憑咱們是結拜兄弟啊！』

朱元璋知道這些死老百姓，說也說不通，心生一智道：『咱們不是當年拿了七塊方木當信物嗎？』

『對啊！』六個兄弟各自掏出一塊髒兮兮的爛木頭，當寶貝似的放在桌上。

『老二當了大將軍，轉戰南北，封方木爲「武威」，老三是七品小官，封方木爲「驚堂木」，犯人不招，就「啪」的拍一下，嚇唬嚇唬；老四是藥鋪郎中，方木壓藥方，封爲「壓方」；老五當了和尚，敲著方木，雲遊四海，就封方木爲「雲板」；老六在街頭說書，怕觀眾聽著瞌睡，用方木敲醒，封為「醒方」；最後老七是染布師傅，不妨封方木為「染牌」。』

『至於我這一塊嘛，我是萬歲爺，就稱為「震山河」吧！』

鄉下人都很老實，雖然沒得到實惠，方木得了個封號，也就歡天喜地回家了。

不過，以上是民間傳說，事實上，例如縣官審案用的小木頭，稱為驚堂木，可是由來已久的說法，舊小說中經常有這麼一段：『大尹把驚堂木在桌上一連七八拍，大聲喝道「你這奴才！」』

許多行業歡喜把自己與朱元璋扯上關係，也算是一種往自己臉上貼金吧！

閱讀心得

【第713篇】朱元璋兩幅不同的畫像。

乍看劉建志先生畫的插圖，一英挺一醜陋，完全是截然不同的兩個人。

其實，都是他根據流傳下來的歷史文獻改繪而成的。

先看這幅醜陋的畫像，五岳朝天，整張臉全是凹凹洞洞，彷彿月球表面，實在不怎麼好看，與民間一般傳說相同。

也有一說，朱元璋疑神疑鬼，就怕被人暗殺。因此，故意找人畫了一幅難看的像。用來混淆視聽，藉以自保。

不過，後面這一種說法，比較缺乏說服力。天子深居禁中，防備甚嚴，一般人不可能混入。再說，中國歷代帝王之中，從來也沒有聽說過誰出此下策，故意弄一幅『望之不似人君』的醜陋畫像避人耳目的。

那麼，另外一幅相貌堂堂，魁偉英俊的畫像又是怎麼來的呢？

民間有一種傳說：由於朱元璋尊容甚醜，因而演出一段『獨賞活筆』的故事。

中國古代沒有照相技術，歷代帝王即位之後，一定要找位畫工，鄭重其事畫幅像，昭示天下，傳之後世。

朱元璋即位以後，自全國各地找來一批的畫工，畫了一張又一張的像，他全都不滿意，每回看了，總是面色鐵青，語氣不悅：『你們說，這像我

嗎？』

既然畫了半天，害得皇帝連屁股都坐疼了，還是畫不像，這批倒楣的畫工都一一被處死刑。然後，又在全國各地急徵畫工。

當時，在江南地區，有師徒四人，均以擅長繪畫而著名，江南人尊師父爲神筆，大徒弟、二徒弟、三徒弟依次爲仙筆、寶筆與活筆，四人都有巧奪天工的畫筆。

尤其是師父神筆，他曾經畫過一幅鬥雀畫在牆壁上，訪客看了，都以爲是眞的，用手揮逐，揮了半天，鬥雀不去，才知道原是一幅畫，可見他寫實功夫是如何高深。

由於他四人有這身本領，因此，當朝廷使臣命令他等進京，倒也不慌不怕，不憂不懼，還抱有存心露一露臉的心理。

師父神筆是第一個被喚入宮的。朱元璋對他說：『聽說你外號是神筆。』

『不敢。』神筆心中受用，表面不形於色。

『以前的畫工畫的都不像，這一回看你的了。』朱元璋長吁一口氣，調整一下衣冠，坐下來當模特兒。

神筆悄悄地打量一下朱元璋。乖乖，長得還眞怪，鼻孔朝天，兩耳如扇，下頷往前伸，顴骨高聳，長了一臉黑黑的麻子。憑他多年作畫功夫，如此有特徵的人應該最好畫，只要把特徵突出放大便可。

心中有了腹案，神筆就飛快地在畫布上打草稿，接著，洗硯研墨，不一會兒工夫，已經大功告成。

其他畫工紛紛圍攏過來，無不嘖嘖稱奇：『哇！跟眞的一模一樣。』不但抓住了朱元璋的特徵，而且神情簡直是朱元璋的翻版。

神筆心中好得意，他暗忖：『這叫養兵千日，用於一時，我也是經過一番苦練，才有如此的絕活。』神筆並且想到，領賞之後，如何以師父的榜樣，教訓三個徒弟，回到江南老家之後，該算得上是衣錦榮歸了吧。

不料，朱元璋興沖沖走過來，一見畫像，立刻破口大罵：『你們說，這像我嗎？』

旁邊的人都想說：『像極了！』卻是誰也不敢開口。

朱元璋疾言厲色道：『把這畫工推出去斬了！』

神筆做夢也沒想到，會以這種方式『回老家』。

消息傳來，仙筆、寶筆、活筆都嚇呆了，而且極爲困惑，憑師父的本領，應該不會有問題啊，莫不是臨陣失常？

第二天就要進宮的仙筆轉念到此，忽然腹痛如絞，一個晚上都在鬧肚子，第二天，仙筆果然也追隨師父去了。

見此光景，寶筆活筆心膽俱寒，眞想打道回府，不幹總可以吧，可惜在專制制度之下，卻也沒有說不的權利。

第三天，寶筆同樣沒有回來。一連走了師父與兩位師兄，活筆眞有說不出的難過，而且相當納悶。

到了第四天，活筆上了朝，他一瞥見朱元璋，倒吸了一口氣，馬上知道爲何恁誰也『畫不像』。朱元璋不但醜陋，而且模樣兇狠，小孩子看了，都會給嚇哭的。想來朱元璋希望畫工把他畫得漂亮些，最好不像他，又不便説破，只好殺掉畫工洩忿了。

活筆揣摩到朱元璋愛美的心理，乾脆看也不看朱元璋，自顧自畫想像畫，畫了一張人們心目之中皇帝的模樣——相貌堂堂，慈眉善目，很有福氣的樣子。

朱元璋端坐在龍椅之上，等得不耐煩，跳起來看，一看之下，大爲滿意，連連稱讚：『終於有好畫工畫得像了。』

明明是不像，但是既然皇帝説像，一旁的人也附和著：『像極了像極了，尤其是那股神韻再像不過了。』

據說，這就是流傳下來體面、好看的朱元璋畫像的由來。

民間傳說總歸是傳說，朱元璋到底長相如何，始終是個謎。正如同朱元璋的畫相有兩種，後代對朱元璋的看法也南轅北轍。

以朱元璋對待大臣的刻薄寡恩，翻臉無情，他應該被列入反派角色，爲什麼民間提起朱元璋，卻又相當親切，甚且可以說他是中國歷代帝王之中，最爲人們所熟稔的皇帝。

這是因爲朱元璋對待大臣，手段毒辣，但是他對百姓，還算是比較寬大的。同時，他來自民間，再加上明朝距離今天比較近，自然而然的，有關朱元璋的種種傳說也就格外豐富了。

閱讀心得

【第714篇】

明太祖的二十六個兒子。

自從明太祖朱元璋的長子朱標，在洪武二十五年（公元一三九二年）病死之後。朱元璋老年喪子，悲痛萬分。加上太孫允炆個性懦弱，讓他放心不下。

允炆與他的父親朱標一般，都是性情溫和，穎慧好學的人。允炆十四歲的時候，父親生病，他伺候湯藥，晝夜不離床榻邊。

後來，朱標過世，允炆傷心逾恆，眼睛都快哭瞎了，整個人剩下一把骨頭，瘦伶伶的，明太祖看了好不忍心道：『你這孩子既純潔又孝順，你顧著你父親，怎不顧著祖父，再哭下去怎辦？你可是明朝未來的天子啊。』

太祖內心深處，既不滿意朱標，更不滿意允炆。在他看來，仁義道德都是表面說說好聽，可當不得眞。做皇帝的，如果沒有手段，拿什麼統治天下。

每回明太祖見到十來歲的允炆，涉世未深，一臉天眞無邪，他就忍不住發愁。他辛辛苦苦打下來的江山，可別斷送在這個傻小子身上啊。

朱元璋清清楚楚的知道，這些個與他一塊打天下的功臣都是豺狼虎豹，從刀上舔血的歲月走過來，個個全是老狐狸，可憐那小小弱弱的允炆，如何是他爺爺輩的敵手。於是，明太祖這個祖父晚年盡在忙著砍殺功臣。

由於天天設計謀，想手段，明太祖晚年過得相當累，精神大量虧損，到了洪武三十一年，他實在撐不下去，終於病倒了，沒過多久，在西宮崩逝，享年七十一歲。

明太祖在遺詔中說：『朕膺天命三十一年，當了三十一年的皇帝，憂危積心，日勤不怠，一心一意希望有益於民。奈何出身寒微，缺乏古人廣博的智慧。今日病亡，原是萬物自然之理，豈有什麼值得悲哀悼念的呢？』『皇太孫允炆仁明孝友，宜登皇帝大位，內外文武臣僚應該同心輔政，安定民心。喪葬儀物，毋用金玉。天下臣民，哭臨三日便可，不用妨礙嫁娶。諸王臨國中，毋至京師。』

人之將死，其言也善。明太祖的遺詔倒是十分誠懇謙虛，他一輩子勤儉，要死之前，還規定喪禮儉約，不要用金，不要用玉，免得到了黃泉仍然心疼。

明太祖最後一句遺言：『諸王臨國中，毋至京師。』意思是說，二十四個皇子啊，你們都乖乖地留在自己封國之中，用不著趕到京城來奔喪。

明太祖一共生了二十六個兒子。除了太子朱標早死，以及朱柟沒有封地以外，其他二十四個兒子都封王。

在明太祖的想法之中，宋朝、元朝因爲宗室單薄，朝廷一旦有事，岌岌可危，所以他要生養許多許多的兒子。

明太祖一共有二十六個兒子，十六個女兒。後宮的妃嬪無數，除了漢人還有蒙古妃子與高麗妃子，據傳說，明成祖的母親便是蒙古妃。

明太祖妃嬪多，並不完全是因爲好色，而是保障明朝的家業，他不相信旁人，只相信自己的兒子。

在洪武十一年，明太祖正式定都南京以後，他開始分封各個兒子到封國去。

諸王在各自封地建立親王府，地位之高，不在話下。表面上看來，親王不許干預地方行政。但是，親王擁有指揮軍事的特權，不僅親王護衛兵由親王直接調派，必要之時，親王轄區之內一切軍隊，都在親王掌握之中。地方上的守衛軍官，必須同時收到皇帝的御寶文書，以及親王手令，否則，不准擅自調動部隊。

明太祖對自己這套辦法，眞是有說不出的得意。他一方面自個兒在京城磨刀霍霍殺功臣，一方面藉著兒子們掐住地方軍的咽喉，眞可以說是萬無一失了。

明太祖想得很美，一般朝臣看在眼中，卻不免憂心忡忡。

其中有一名葉伯巨的寧海人，上書明太祖『分封不可太奢侈』，他並且舉出漢朝七國之亂，晉朝八王之亂爲例子，提醒太祖小心日後演變成『尾大不掉』。『願陛下趁諸王尚未分封之前，節其都邑，減其衛兵，限其疆里。』

明太祖正在興頭上，看到上書，簡直氣壞了，他猛拍桌案，怒聲斥責：『這個混帳小子，存心挑撥離間，破壞我的骨肉團結。還不趕忙把他捉來，我要親手把他射個穿心過。』

後來，葉伯巨果然死在獄中，自此以後，百官當然噤若寒蟬，誰也不想拿自己的腦袋開玩笑。

明太祖又認爲，元朝就是不設太子，以致引起一連串的政變。因此，遠在擔任吳王之時，明太祖便立長子爲世子，即皇帝位以後，又立爲太子。太子早逝，則是他意料之外的變數。

操勞的老皇帝，終於嚥下最後的一口氣。他遺言之中所提到的『諸王臨國中，毋至京師。』爲的是惟恐國喪期間，地方上發生變亂。

可是，這二十四個王子卻不這麼想，並且對不能前來奔喪耿耿於懷。中國人最重孝道，一般平民百姓若是接到父母噩耗，都必須摒棄一切，回鄉奔喪，堂堂皇子豈可當作沒事一般。

明太祖滿心以爲，骨肉之情、手足之情，可以確保明朝安定，卻不知一場大亂正在醞釀之中。

閱讀心得

【第715篇】

皇太孫允炆半邊月兒臉。

明太祖對太孫允炆的不滿意，其實，打從允炆呱呱墜地那一天便注定了。

當太子朱標歡天喜地前來報訊：『生了，生了，是個小男孩』之時，做祖父的，內心有無限欣慰。

可是，明太祖一見到小孫子，頭顱一邊竟然是凹陷下去的，臉色爲之大變。

他雙手接過軟軟的小嬰兒，摟在懷中細細端詳，瘦瘦小小，顯得很虛弱的模樣。他用手輕輕撫摩，碰觸到凹下去的腦袋，頗爲不悅地批評：『這叫半邊月兒。』

半邊月兒長大以後，倒是十分用功，努力向學。愛讀書總是好事，消息傳到明太祖耳中，這位嚴峻的祖父，稍稍覺得寬慰一些。

明太祖特地找了一天，專程來考考這位長孫。他望著允炆扁下去的腦袋瓜子，皺著眉頭道：『也罷，就用新月爲題寫副對子吧。』

允炆稍加思索，朗聲應道：『誰將玉指甲，抓破碧天痕？影落江湖上，蛟龍不敢吞。』文如其人，格局甚小。

明太祖聽了，心中不勝懊惱，怎麼太孫與太子一個模樣，都是過分仁

弱，沒學到老子一點兒氣魄。

由於太子心地善良，過分老實，他的二弟秦王、三弟晉王總是找機會欺負太子，存心挑釁。太祖看在眼裏，急在心裏，想盡辦法處罰秦王晉王，不料太子朱標反倒過來，跪在地上幫弟弟們求情。

明太祖『知子莫若父』，他心知肚明自己的長子是怎麼樣的一塊料，曾經有意廢儲，換一個兒子當太子。

事情被老臣劉三吾知道了，期期以爲不可。這個劉三吾，也是奇特之士，值得另外介紹。

劉三吾算是老年才俊，當他被明太祖延攬之時，已是七十三歲的高壽。

劉三吾的文章極好，下筆飛快。明朝初建，許多典章制度都是出自劉三吾之手。

明太祖自認也有幾分詩才，所以每回詩興大發，總要表演一下，然後，再命劉三吾和一首助興。明太祖肚子裏墨水有限，他寫的詩多半是『百花花發我不發，我若發時都駭殺。』之類霸氣十足的打油詩。若是那一天，明太祖端出一首雅馴得體，有幾分詩的味道的詩，大家都會偷笑：『八成又是劉三吾給潤飾過了。』

明太祖對功臣一向不客氣，劉三吾不是與他打天下的夥伴，反倒因此享有殊遇。明太祖常掛在口邊的是：『愛卿多寫些好文章，以稱朕的心意。』

朝鮮進貢的名貴玳瑁筆，明太祖賜給劉三吾；每天上朝之時，劉三吾排在侍衛前面；宴會時，劉三吾也是排在第一桌的位置。劉三吾與汪濬、朱喜合稱『三老』，普遍受到尊敬。

劉三吾老來才入仕途，沒學會官員們口是心非，說的是一套，做的又是一套。他胸無城府，服膺孔老夫子所說：『君子坦蕩蕩。』因此，自稱爲『坦坦翁』。

明太祖對太子朱標的仁弱，愈來愈不能忍受了。他心目中的王儲，應該是像老四燕王朱棣一般。朱棣撫平蒙古一事，常讓明太祖覺得『只有老四比較像我』。

元朝滅亡之後，蒙古人在中國的政權雖然瓦解，但是在蒙古老家的政權仍然存在。順帝逃回老家之後，元朝的後代仍在蒙古建國，對明朝而言，是揮不去的惡夢。

洪武二十三年，明太祖命三子晉王、四子燕王一起出征，討伐蒙古。晉王平時歡喜鬧事，眞正要上戰場之時，卻又臨陣膽怯，拖拖拉拉賴著不動。

燕王可不一樣，他率領傅友德大軍，出古北口，進軍伊都山，擊敗蒙古，俘虜部衆及牛馬駱駝等，高奏凱歌而還。

明太祖對燕王十分滿意，旁邊的人也誇燕王『頗有乃父之風』。自此而後，燕王負責邊境守衛，聲名直竄。

明太祖很想讓燕王代替朱標爲太子，反正朱標庸庸碌碌，對當皇帝也沒興趣，視爲痛苦的負擔。

但是，劉三吾一旁提醒明太祖：『若是四皇子接帝位，那麼如何向二皇子秦王、三皇子晉王交代？』

說的也是，想那秦王野心勃勃，再三向老大挑釁，晉王相貌堂堂，文采風流都比太子強，若是捨老大而就老四，明太祖身亡之後，一場骨肉之爭，馬上開打。

太祖只有長嘆一口氣，讓朱標將就著當太子。

豈料天不從人願，朱標已經夠差了，竟然又早死，害明太祖白髮人葬黑髮人。太祖肝腸寸斷，在東閣門召見群臣之時，忍不住嚎啕痛哭。群臣面面相覷，個個都呆住了。

太祖哭了好一會兒，哭聲暫歇，沒多久，剛低下去的哭聲，突然又高拔起來。想想創建王業的艱辛，想想明朝的未來，萬千感嘆，一齊化爲熱血。

此時，劉三吾沉穩地走了出來，平靜地說：『皇孫世嫡，承統，禮也。』

明太祖想到半邊月兒要承大統，忍不住一陣昏眩，卻也只有點頭稱是。他心忖，太子朱標面對叔伯輩已是招架不住了，現在換了一個比朱標還朱標的太孫當太子，又晚了一輩，忍不住又悲從中來，老淚縱橫。

閱讀心得

【第716篇】燕王嶄露頭角。

上一回我們說到，燕王善於謀略，能征善戰，頗有乃父朱元璋的風範。朝廷內外許多人都發現了這一點，根據明朝人尹守衡所寫的《史竊》中有一段故事：

當初大將藍玉想要結識燕王，北征歸來，想帶塞外名馬面謁燕王，表示好感，誰知燕王態度冷冷淡淡，不怎麼熱絡，並且對他說：『名馬你還是帶回去吧！』

藍玉碰了一鼻子的灰，心中無限懊惱。回到家，遇到太子妃，太子妃是開平王常遇春的掌上明珠，藍玉正好是常遇春的小舅子，藍玉對太子妃說：『我想找個機會，見一見太子。』

『舅舅的吩咐還有問題嗎？』太子妃含笑答應。沒多久，藍玉與太子密談。

藍玉壓低了聲音，故作玄虛問道：『殿下啊，根據你的觀察，皇上在這麼多的兒子之中，他最喜歡誰啊？』

此話當然有明顯地挑撥離間的用意。太子標是個迂夫子，他搖搖頭，掉了一句書袋：『鳲鳩之愛，焉有軒輊？』

（鳲鳩，是布穀鳥，詩經曹風篇有：『鳲鳩在，桑有子七兮』，軒是車

上的篷頂，輕是車後低的部分。）

太子標這句話的意思是：『父母對子女的愛，彷彿桑樹上布穀鳥對子女的愛，豈有高低之別？』

藍玉見朱標如此不開竅，乾脆明講：『臣見那燕王英明神武，甚得人心，威名日隆，且爲皇上所鍾愛。又聽江湖術士說，燕地有天子氣。』

一向對弟弟仁愛的太子標聽不進去，輕描淡寫地回答：『沒有的事，你不要瞎猜。』

藍玉發急了，他結結巴巴道：『臣是肺腑之言，願殿下自愛！』

沒多久，藍玉因爲叛變被捕，這件事就不了了之。

太子朱標病逝，太孫允炆成爲皇位繼承人。明太祖爲了訓練這個『半邊月兒』，偶爾命太孫幫忙處理公文，太孫與他父親一個樣兒，總是寬大為懷，很能贏得民心。

然而，太孫的仁弱，愈發讓他的一群叔叔們不把這小姪兒放在眼中。太孫每次接觸到叔叔們不屑的眼神，心裏頭就緊張，額頭猛冒汗。有一回，太祖與太孫在御書房聊天。太祖提到最近，『遼、寧、燕、谷、代、晉、秦、慶、肅九國邊境之地，都在加強軍事防禦。』

說著，太祖用手一指太孫：『朕把防禦邊境之事交給諸王，可以確保邊境安寧，協助你維護國家安全。』

太孫忍不住把心中的隱憂告訴爺爺：『邊區不靖，諸王可以抵禦，萬一諸王不靖，誰又能抵禦？』

這番話，重重敲在太祖心坎上。這也是他最最不願意碰觸的敏感問題。每回一想到此，只好以應該會顧念到骨肉之情安慰自己。

如今，太孫既然挑起了話題，太祖沉默了好一會兒，揚一揚眉反問：

『你的看法如何呢？』

太孫沉著地回答：『以德懷之，以理制之，再不然，就削他的地，再不然，就派兵攻打。』

『看來，也只有這個辦法了。』

祖孫二人互相對視，隱隱然對未來有不祥的預感。

做父親的，總認爲自己的兒子應該向著自己，所以，在明太祖看來，諸王看在他這個老爸爸的面子上，一定會同心幫助姪兒，共建明朝大業，他比較擔心的是一些打天下的功臣，到底功臣不姓『朱』，不值得信賴，中國人的家族觀念是相當濃厚的。

因此，當明太祖嚥下最後一口氣之前，他的遺言是：『諸王臨國中，毋至京師。』他擔心邊境蠢動，有人會乘機造反，諸王分散各地，可以鎮壓，可見他至死相信兒子可靠。

洪武三十一年閏五月，明太祖崩於西宮，年七十一。太孫允炆即位，大赦天下，以明年爲建文元年，是爲惠帝。明清兩代，常以年號來稱呼皇帝，所以惠帝又被稱爲建文帝。太祖葬於南京孝陵，謚爲高皇帝，廟號太祖。

在太祖彌留之際，燕王在北平，接到父皇垂危的消息，立刻馬不停蹄一路趕來，盼著見太祖最後一面。

趕到一半，聽說太祖崩逝，更急著前往奔喪，想像之中，諸王都要換上麻衣麻冠，輪番入殿，瞻仰遺體，呼天搶地，號哭不已。

誰知，忽然聽說太祖遺詔，要兒子們都留在藩國，別去京師。

燕王氣得頓腳：『可惡，這一定是齊泰編的假遺詔，故意不讓我見父皇最後一面。』

燕王心中有恨，卻不能不乖乖轉回北平，設靈堂哀悼，燕王失聲長號，俯伏在地，痛哭不已，這一半是父子天性，一半是自己覺得委屈，越想越傷心，眼淚就一發不可收拾。

按照規矩，皇帝大殮的第二天，文武百官『哭臨』，在午門外五拜三叩，住在衙門裏，不得飲酒食肉，一共要哭臨十天。麻衣二十七天，素服二十七個月，方始『除服』，所謂除服，指的是喪期屆滿，脫除喪服，也稱除喪。由於明太祖一向勤儉，惟恐大家耽誤工作，遺詔之中規定『天下臣民，哭臨三日，皆釋服。』

太祖得病已久，一切後事，早有準備，進行十分順利，諸王穩住了邊境，但是誰能穩住諸王，成爲新上任小皇帝最大隱憂。

閱讀心得

【第717篇】

齊泰黃子澄脫穎而出。

燕王懷疑惠帝利用齊泰矯詔，故意不准他這個叔父奔喪，朝廷內外氣氛很僵。

其中有一個叫卓敬的，眼見明太祖老幹已傾，建文帝新枝猶嫩。便上了一個密摺給新皇帝：『燕王智慮絕倫，雄才大略，酷似高帝（明太祖）。北平形勢險要，士馬精強，金朝元朝均在此奠都。臣建議將燕王自北平改封南昌，萬一有變，亦易控制。』

卓敬這個人，建文帝記憶鮮明。

卓敬是洪武二十一年的進士，他自幼是個天才兒童，聰明過人，讀起書來，一目十行。古人讀的是沒有標點符號的文言文，不比現在易懂易讀的白話文，一目十行可不簡單。

洪武二十年，制度尚未完備，諸王的衣服乘車都準備仿照太子的式樣。卓敬急著上諫：『諸王服飾乘車萬萬不可與太子相同。否則，嫡庶相亂，尊卑無序，何以號令天下？』

明太祖深以爲然，誇獎卓敬：『你這麼一說，倒是提醒了我。』

惠帝見到卓敬的奏章，心中明白卓敬的好意，表面上卻不能不演戲，責怪卓敬：『燕王，朕的骨肉至親，愛卿怎會有如此古怪的念頭？』

卓敬重重磕了一個響頭：『臣所言，乃安天下最佳之計，願陛下察之。』前回我們說過，燕王（其實，包括其他諸王）心裏懷疑，不准諸王前往京師弔喪，是齊泰的意思。

事實上，惠帝雖然表面上斥責卓敬，私下裏，的確與齊泰、黃子澄日夜商討太祖崩逝之後的變局。

太祖剛下葬，建文帝頒佈的頭一道人事命令就是『以齊泰爲兵部尚書，黃子澄爲太常卿兼翰林院學士，同參軍國事。』

齊泰、黃子澄一下子成爲新貴，眞是一朝天子一朝臣，無怪燕王誤以爲齊泰矯詔，發佈假的遺命。

齊泰，原名齊德，洪武十八年進士，歷任禮、兵二部主事。

有一回，太祖在謹身殿主持郊祭，選擇歷官九年，而且從來沒有犯過錯誤的官員陪祭，齊德正是其中之一。因爲這個緣故，齊德被賜了一個新姓名——齊泰。

洪武二十八年，齊泰以兵部郎中被拔擢爲左侍郎。曾經有一次，太祖偶爾提及：『目前邊將情形不知如何？』

太祖只是隨口問問，齊泰竟然立刻回答各地駐防的將領，讓人覺得他對邊將瞭若指掌。

太祖又問到邊境情形，齊泰順手一掏，取出一本小冊子，裏頭記載的邊境情形，簡明扼要。

太祖忍不住點頭誇讚：『嗯，很好，你很用心。』因爲太祖詢問齊泰，原是臨時起意，齊泰不可能臨時抱佛腳，可見齊泰平日就認眞而用心。

從此以後，太祖對齊泰另眼相看。

惠帝是個讀書人，重視品德。所以覺得齊泰忠於國事，格外敬重齊泰。至於另一位紅人黃子澄，原是惠帝的伴讀。所謂伴讀是官名。在宋朝有南北院伴讀，侍教宗室子弟，明朝爲親王府官。黃子澄擔任東宮伴讀，等於是惠帝的老師。

明太祖朱元璋是草莽出身，沒受過良好的教育，以後靠自修，讀得相當辛苦。因此，他對諸子的教育，非常注重。在宮中建大本堂，貯藏古今圖書，四方延請最有學問的人擔任伴讀。

太祖對伴讀儒臣十分禮遇，經常告訴他們：『若有一塊精金，得找最好的工匠打造，若有一方美玉，得找最好的玉匠琢磨。我的孩子們不比尋常，將來要治理國家大事的，你們必得好好管教。』

由於太祖注重教育，他的二十六個兒子當中，秦王、晉王、燕王都能治理邊疆；周王是植物學專家；寧王著作尤豐，寫了通鑑博論等數十本書；湘王尤其允文允武，常常開夜車讀書讀到半夜，然後再練刀弄槍。

總之，太祖的兒子幾乎個個有一套。結果，因爲順應制度，避免引起紛爭，只好先後以太子太孫爲皇儲，兩人都是懦弱無用的人，怎不讓太祖懊惱？

話說回頭，黃子澄出身是洪武十八年的狀元，被明太祖選爲太孫的侍讀，同時擔任太常寺卿。

由於過去的朝代，太子官僚經常自成一個系統，與廷臣容易鬧意見，甚至演成對立的局面。明太祖特選用朝廷重要大臣兼任東宮官僚，宋濂是如此，黃子澄亦復如此。

有一回，黃子澄講課告一個段落，與惠帝散步來到東角門，惠帝坐了下來，師生二人閒閒地聊了起來。

先是談一些不著邊際的起居生活。接著，惠帝長長吁了一口氣，轉過臉來，對黃子澄訴苦：『諸王各擁重兵，多做不法之事，怎麼辦呢？』

黃子澄這個做老師的，不慌不忙安慰惠帝：『諸王護衛兵，僅足以保護自己。倘若一旦有變，朝廷以六師之兵予以討伐，誰又能抵抗？漢朝七國並非不強，結果還不是一一被滅？大小強弱不同也。』

惠帝聽了，不住地點頭，忐忑不安的心稍微安定下來。

由於有這段往事，同時，惠帝身邊牢靠的人不多，所以，惠帝即位第一件事，就是同時發表齊泰與黃子澄的任命。

閱讀心得

【第718篇】

惠帝的抉擇。

由於惠帝的老師黃子澄，曾經安慰惠帝，諸王雖然跋扈，漢朝七國之亂例子在前，不愁不能平定天下。

漢朝大封子弟爲王，諸王坐大。漢景帝即位不久，削奪各個王侯的封地，引起吳楚等七國的叛亂。幸虧靠著周亞夫，才平定了一場亂事。

當太祖崩逝之時，惠帝心中七上八下，雖然明知是早晚要來到的事，仍然緊張極了。

他默默看著宮裏開始更換擺設，窗簾、椅墊一律改用素色，磁器由五彩換爲青花。妃嬪宮女個個摘下亮晶晶的金玉珠寶，改佩白銀象牙。裏裏外外，白濛濛的一片，哭聲此起彼落，哭得惠帝的心中更加混亂。

惠帝勉勉強強抑制起伏不定的心情，在心中對自己說：『師父啊，我若是漢景帝，你可要當我的周亞夫啊。』

明太祖規定，爲尊師重道，諸子們都恭恭敬敬尊老師一聲『師父』。惠帝除了任命齊泰、黃子澄以外，並且拔擢方孝孺擔任翰林侍講。侍講也是老師，地位比伴讀更高一層。方孝孺是中國歷史上的名人，他的故事，我們以後會詳細的敘述。

諸王都在猜疑，太祖遺詔是齊泰搞的鬼，並且對這個姪兒皇帝大爲不

滿。惠帝想解釋也解釋不清。

然後，不斷地有消息傳來，說是燕王、周王、齊王、湘王、岷王互通聲息，相互煽動，似乎一場大禍正在醞釀之中。

有一天，退朝以後，惠帝秘密召見黃子澄，憂急地問道：『先生還記得當年在東角門所說的話嗎？』

黃子澄用力地點點頭：『臣不敢忘。』

接著，黃子澄就去找齊泰，三更半夜，促膝密談。

黃子澄先開口：『事情危矣。』

『先得自燕王下手。』齊泰馬上接口。

『不然，燕王雖然士馬精壯，沒有犯過，何以服天下？』

『依你之見呢？』

『依我的看法，周、齊、湘、代、岷諸王，在先帝時多爲不法，先削他們的藩，比較說得過去。』

周王是燕王的同母弟，削周，正是削燕王之手足也。

齊泰考慮了半晌點點頭說：『也有道理。』尤其黃子澄當過惠帝的老師，交情不一樣，齊泰也樂於接受黃子澄的意見。

周王朱橚是明太祖第五個兒子，他頗爲好學，擅長詞賦，而且對植物極有研究。

就在齊泰與黃子澄密談的第二天，周王的次子密報周王圖謀不軌，惠帝正好利用這個機會，把周王從開封綁到了南京。

惠帝一向心腸軟，周王綁來以後，他總覺得自己對不起周王。事實上，雖然周王的兒子密報，或許是父子不合存心誣賴，到底也沒有證據啊。惠帝天天心裏想這件事，想得覺也睡不好，他忍耐了一個月，終於忍不住了，他想要把周王放回去。

黃子澄著急地說：『陛下，切切不可！』

齊泰也憂急地阻止：『萬萬不可！』

惠帝原本是個優柔寡斷的人，他囁嚅著說：『那麼，再研究看看吧，朕是想放他回去的。』惠帝的臉上，一片茫然，似乎很拿不定主意的模樣。

退了朝，齊泰與黃子澄找了個隱僻地方密談，彼此先交換一個苦笑，齊泰不以爲然地表示：『今上婦人之仁，怕要誤事。』

黃子澄也有同感：『事到如今，非得快刀斬亂麻不可。』

第二天上朝，黃子澄提出建議，要把周王廢爲庶人，就是普通的老百姓。

要是依惠帝前一天的主張，把周王放回去，那麼，惠帝應該反對，到底他是皇帝，有權決定一切。

但是，惠帝想想，又覺得老師的話沒錯，新皇上任，總得立立威，他實在舉棋不定。

然而，這是不容遲疑的事。齊泰見皇帝沒有表示反對。接著，又跪下來，高聲地說：『周王謀反，涉及齊王、代王、岷王，請一併逮捕。』

惠帝又疑惑又困窘，他眞不知該如何裁決。心裏惴惴然，茫茫然，著實發慌。他抬起頭來看齊泰、黃子澄一臉誠懇的模樣，終於咬著牙，下了決定，贊成他們的做法。

消息傳出，朝廷裏對削藩有不同的意見，其中一位老臣高巍有獨到的看法，他上了一個摺子（奏章）：『高皇帝分封諸王過當，諸王又多爲不法。若是削藩，傷了骨肉親情，不削則綱紀不立。最好的方法，是把北邊的換封南邊，南邊的換封北邊，逢年過節，使人餽問，凡是賢能者，下詔予以褒賞，不賢能者，先加以勸告，屢次不改，再削藩。』

其實，依惠帝的力量，不如先採用高巍穩紮穩打的政策。不過，齊泰、黃子澄一心一意效法漢朝平七國之亂，箭在弦上，不能不發。

於是，齊王被綁到京師，岷王廢爲庶人，代王被幽禁在大同，湘王在宮中自焚。惠帝又下詔親王不得再節制地方官，這一連串的措施，在在都衝擊著野心最大的親王——燕王。使得燕王不得不有所行動了。

閱讀心得

【第719篇】

鬼才和尚姚廣孝。

在明太祖二十六個兒子之中，他最中意的是四子朱棣，也就是封在北平的燕王。因此藍玉曾經挑撥離間，故意問太子朱標：『你想想，你父皇最愛誰啊？』

平心而論，燕王得寵，的確有他的道理。他能征善戰，勇氣十足，而且具有鍥而不捨的毅力。洪武二十三年，他與晉王一起出征，晉王走了一半，嚇得不敢向前，燕王卻堅持到底，帶回大批俘虜與戰利品。這是他與當老子的明太祖相同的地方。

燕王與太祖不一樣的地方，則是他相貌奇偉，英俊挺拔，留著一把漂亮的鬍子，而且風度翩翩，加上飽讀詩書，頗有幾分儒將的感覺。宮中上下，誰見了，總忍不住多瞧兩眼。

燕王自知儀表不俗，歡喜有意無意的賣弄。每回見到太祖，瀟瀟灑灑，一甩衣袖，搶著向前請安，步履輕快，衣幅不動，彷彿唱戲的『身段』似的，漂亮極了。把個站在一旁，體弱多病，毫不起眼的太子標，硬是給狠狠地比了下去。

燕王原本出色。自從他身邊多了一個鬼才和尚姚廣孝之後，更是如虎添翼，益發不得了了。

命相合參袁洪

姚廣孝的經歷十分奇特。他的父親是醫生，但他卻對瓶瓶罐罐的丸散膏丹沒興趣，也不想懸壺濟世，繼承父業。

十四歲那一年，姚廣孝到了廟裏，剃度當和尚，取了一個法號叫道衍，字斯道。後來，拜道士席應眞爲師，學習陰陽術數之學。姚廣孝出了家，不過仍然不改其流裏流氣，嘻皮笑臉不正經的習性。

有一回，姚廣孝遊嵩山寺，正巧碰到一位相士袁珙。

袁珙看了姚廣孝一眼，揉揉眼睛，又仔細端詳一番。然後，長長吁口氣：『天啊，這是怎麼樣奇怪的和尚，眼睛是三角形的白多黑少，樣子像一隻生病的老虎，依照相書看來，性必嗜殺，與殺人魔王劉秉忠一般。』

旁觀的人一齊對姚廣孝行注目禮，都以爲他會翻臉，甚且掀起桌子掄起拳頭揍人。

姚廣孝睜大了眼睛問袁珙：『相士的話當眞？』

『當眞。』袁珙說著，連連倒退兩步，提防姚廣孝動手打人。

不料姚廣孝卻笑逐顏開，雙手抱拳，長長一揖：『謝了！』快樂得像澳洲袋鼠一般，蹦蹦跳跳走遠了。

袁珙望著姚廣孝的背影，長長嘆一口氣：『若是此人將來專權用事，天下事還有可爲嗎？莫非我看走了眼？不可能的，莫非氣數如此。』

袁珙自己跟自己生氣，精光四射地環視左右，彷彿誰觸怒了他，他要把誰抓來痛打一頓才甘心似的。

姚廣孝回到客棧，對著鏡子發楞，回想方才相士之言，又驚、又喜、又疑惑，然後癡癡迷迷地笑了起來。

想這姚廣孝，自小不安分，很想闖出一點名堂，他自知心狠手辣，但是外表偽裝得很好，沒想到今天，被相士一眼看穿，不曉得這袁珙相得準不準，將來能否有『嗜殺』的機會。

吃罷午飯，姚廣孝又溜到嵩山寺附近，遠遠望見袁珙的布招『命相合參，袁珙候教』八個大字，在風中搖晃。

嵩山寺前三教九流，什麼人都有。姚廣孝眼尖，找到一位看來像本地人的老翁打聽：『前面那看相的袁珙，不知靈不靈？』

老翁偏過頭來，打量姚廣孝道：『靈，怎麼不靈，這方圓數十里，沒有人不知曉袁珙。』老翁嘿嘿地乾笑兩聲，彷彿見到罕見的土包子。

姚廣孝逮住機會，邀請老翁：『不如你我到前面小店喝上兩盅，你慢慢說給我聽聽，也好增廣見聞，一飽耳福。』

『也好。』老翁閒著也是閒著，便跟著姚廣孝前去聊聊天。

姚廣孝點了幾色精美的小菜，老翁見這年輕人可喜，幾杯老酒下肚，話匣子也打開了：『你想知道這袁珙嗎？他啊，生有異稟，好學能詩，曾經遠赴海外洛伽山，遇到一位怪和尚別古崖，別古崖見袁珙孺子可教，也就傾囊相授。』

『不過，』老翁頓了一口氣道：『袁珙也吃足了苦頭，別古崖每天中午，命袁珙對著大太陽直視，呆呆罰站半天，弄得頭昏目眩，眼冒金星，然後，進入一間暗室，要他分辨一大把豆子之中，那一粒是紅豆，那一粒是黑豆，一粒一粒給撿出來。』

袁珙撿了一陣子的赤豆黑豆，終於一粒都沒錯了，接著到了晚上，別古崖懸掛五色長條布在窗外，命令袁珙逐一說出正確的顏色。你想，晚上不點蠟燭，就靠著一點點微弱的月光，又隔著一層紙窗，能夠分辨小小布條的顏色，還眞不容易啊，袁珙也眞行，竟然也過了這第二道關。

接下來，別古崖才教袁珙識人，在半夜裏，燃起兩根大火炬，觀察人的形狀氣色，再參考生辰八字。

講到這兒，老翁一拍大腿：『袁珙今天的這雙眼睛，誰也騙不了他！』老翁這番話，姚廣孝眞是喜不自勝，他心忖，我這和尚，縱然比不得朱元璋，也要鬧個天翻地覆才甘心啊。

閱讀心得

【第720篇】

道衍慫恿燕王起事。

自從道衍（姚廣孝）找袁珙算了命，袁珙鐵口直斷：『形如病虎，性必嗜殺。』道衍倒是樂得很，每日照鏡子，觀賞自己的三角眼，都有說不出的得意。

洪武年中，道衍參加禮部舉辦的通儒書僧試，朱元璋是和尚出身，因此，對和尚特別禮遇，姚廣孝考完了試，獲得朝廷賜給的僧服回來。走到半途，經過北固山，不免賦詩懷古，在詩中，道衍不經意地透露了野心勃勃的殺機，一塊遊山的宗泐忍不住搖頭批評：『你看你，這那兒像出家人寫的東西？』

道衍心中別有所思，只是笑笑而不作答。

宗泐是個極夠意思的朋友，因此，雖然他不滿意道衍的言行，當馬皇后崩逝，朱元璋尋找高僧誦經，他還是推薦了道衍。

道衍趁著爲馬皇后做法事的機會，刻意地接近燕王。道衍人聰明，能說善道，懂音律書畫，能勉強寫幾首過得去的詩詞，很快就博得了燕王的好感。

道衍自知，憑他的鬼裏鬼氣，正經呆板的太子標，絕不會欣賞他這個調調兒，倒是燕王頗能賞識這塊料。

江自流吳宮
花草埋
晉代
三山半落
二水中分白
洲總爲浮雲
蔽日長
使人
唐李

一場誦經薦福的法會之後，燕王已經捨不得離開道衍，他誠摯地邀請：

『你我既然投緣，不妨隨我去北平。』

道衍正中下懷，立刻稱謝。

就這樣，道衍到了北平，擔任慶壽寺住持，成爲不折不扣的政治和尚。

他也經常出入燕王府中，形跡詭祕，時時避開衆人，講一些其他人聽不到的悄悄話。

道衍自從遇到燕王，眞是心花怒放，他時常對著鏡子，自言自語：

『瞧，我現在紫氣淩雲，鴻運當頭，正有貴人扶持。』這貴人當然就是燕王了，一想到此，他不自覺浮現出一絲詭祕得意的微笑。

既然道衍的錦繡前程都寄託在燕王身上，當太祖崩逝，惠帝次第削奪諸王，相繼降罪周、湘、代、齊、岷諸王，道衍不止一次奉勸燕王早日起兵。

燕王每次都是雙手一攤，無可奈何地嘆氣：『民心掌握在小皇帝手中，我又能怎麼樣？』

道衍總是自信十足地拍胸脯，極有權威地表示：『巨知天道，何論民心。』

爲了說服燕王，道衍很自然地，把腦筋轉到了袁珙身上，他差人把袁珙自大老遠的嵩山請到北平。

袁珙認出道衍就是那個『三角眼的病老虎』，沒好氣地問：『有何見示？』

道衍堆了一臉的笑：『有副八字，煩請袁先生仔仔細細推算一番。』

『好吧。』

袁珙接過寫了八字的紙，把干支推算了出來，勾勾抹抹，突然之間，他擱下了筆，驚恐異常地抬起頭：『請問，這是什麼人的八字？』

『噢，我家中一個親戚。』

『足下是何身分？令親又是何種身分？爲何十萬火急地把我找了來。既然來了，又何必欺人？您要知道，我這一雙眼睛，可不是好騙的。』

這番話講得可讓道衍大爲佩服。但是，他也不開口，一個勁兒詭譎地說笑著，逼急了，他只推托：『怎能告訴你，告訴了你，還用得著算嗎？』

袁珙低下頭來，又重新排八字，足足排了半個時辰之久，然後，突然，一躍而起，指著道衍的鼻子叫道：『快說，這到底是什麼人的八字？』一副要上前揍人的猴急。

道衍不悅地甩甩袖子，做出要走的姿態，袁珙一個箭步向前，不准道衍離開，嘴裏嚷嚷著：『你非得告訴我，這是誰的八字不可。』

『爲什麼？』道衍追問。

『好！』袁珙定定神：『我跟你說吧，這八字，生於金屋爲天子，失於茅檐爲庶人，你非得告訴我這是誰不可。』

道衍大喜，見四下無人，壓低了聲音，『那麼，我也實話實說，這是燕王的八字。』

袁珙一拍腦袋：『難怪！』

喜不自勝的道衍，迫不及待把這個大好消息稟報燕王，燕王只當是道衍瞎編的，沒放在心上。

道衍不死心，一再地遊說，最後，燕王被纏得沒辦法，想了一個法子：

『你不是說，袁珙是活神仙，有一雙能穿透人的利眼嗎？』

『沒錯。』

『那麼，明天，請他到府外的酒店一敘。』

第二天，道衍帶著袁珙來到燕王府外的一間小酒店，燕王打扮成普通衛士與其他九個衛士一塊喝酒嬉鬧，口吐穢言。

袁珙趨前對著燕王磕了一個響頭道：『殿下何以如此輕身？』

燕王與九位衛士一起大笑：『他不是殿下，是衛士。』

袁珙固執地又磕了一個頭，莊重地再三叨唸：『珍重。』

燕王回到宮中，換下衛士的衣服，連忙把袁珙找來問話，這一回袁珙仔仔細細瞧了半天。鐵口直斷：『龍行虎步，日角插天，太平天子也，年四十，鬚過臍，即登大寶也。』所謂日角，指人的面相顯貴，額骨中央隆起如日，古代相術家認爲是帝王之相。

燕王聽得又驚又喜，道衍更是得意非凡。

離開了燕王府，道衍捉著袁珙的手道：『你這話傳了出去，一旦捉入宮裏，輕則牢獄之災，重則腦袋不保。』

袁珙點頭：『我知道輕重。』

道衍包了一袋銀子給袁珙：『你目前暫時不方便再算命了，找個地方躲起來，閉鋪歇業，靜候好音，但願燕王正如你所說，一過四十，潛龍起蟄。』

自從袁珙算了命，燕王內心歡喜得發狂，表面卻努力裝得若無其事。

閱讀心得

【第721篇】

燕王府中鴨鵝成群。

袁珙替燕王算了命，鐵口直斷他是：『龍行虎步，日角插天，太平天子也。』燕王不禁又驚又喜，又愛又怕。

袁珙又獻上一計：『燕王不妨再找金忠卜一卜卦，互相參酌，他卜的卦比我算的命還靈。』

在燕王與道衍看來，袁珙已經是活神仙了，這金忠比他還要高一籌，當然是快快有請了。

金忠自幼讀書，就對易經極感興趣。易經即周易，是書名，爲十三經之一，簡稱爲易，原是古代卜筮之書。孔子用易經來教化子弟，說明自然界變易現象與人事的變化，作爲個人修養處世的原則，成爲儒家的經典。

不過一般人讀易經，可不像孔老夫子般『子不語怪力亂神』，相反的，對怪力亂神特別有興趣。民間鑽研易經者，多半用來卜算吉凶，金忠就是其中的佼佼者。

金忠的哥哥在通州（今河北省通縣）當守邊的兵，不幸去世了。

依照劉伯溫爲明朝設計的衛所兵制，軍民分籍，軍人另外有軍籍，有軍籍的軍人是世襲的，國家配有屯田。

金忠的境況一向不佳，經常是有了上一頓，缺了下一頓的。如今可以

補老哥的缺，至少解決了吃飯問題，愁的是連去通州的盤纏也沒著落。

金忠無可奈何，只好厚著臉皮去找袁珙商量，他與袁珙是寧波小同鄉。袁珙二話不說，只撈起沈甸甸的袖子，探手取出一個桑皮紙包，揭開封皮，紫光燦爛，是五十兩上等金子。

金忠不敢伸手，只訥訥臉紅：『這怎麼好意思？』

『你以後再還我也就是了。』

金忠想要再推，怕顯得小氣，況且也眞需要錢，也就拱手一揖，謝過袁珙。

其實，袁珙的相人術在元朝已大大的有名，所相過的士大夫數以百計，無論死生禍福，無不奇中。

元朝曾經有位南臺大夫，普化帖木兒，特由海道不遠千里而來，請袁珙相上一相。袁珙仔仔細細看了半天：『公神氣嚴肅，舉動風生，大福大貴之相。但是，印堂司空有赤氣，到官一百十四日當奪印。但是公守正秉忠，名垂後世，願自勉。』

所謂印堂，人體穴位名，在額部兩道眉毛中間，相面術士以印堂的形狀顏色，附會人事，作爲判斷吉凶的預兆。

後來，普化帖木兒果然被張士誠奪走印綬，抗節而死。（綬是絲帶，印綬是綁了絲帶的印信。今天我們在電視上看到新舊長官交接典禮，新長官從舊長官手中，接過來一大包的印鑑，上頭還銜了條絲帶的，便是印綬。在中國古代，不同絲帶的顏色，表示官吏不同的身分與等級。現代當然沒有如此考究，只是個形式罷了。）

袁珙又曾經鐵口直斷江西憲副程徐，『冷笑無情，非忠節相也。』果然，過不了兩年，程徐投降明朝，當了吏部侍郎。

由於袁珙聲名遠播，看相收入不少，自然手頭比較寬綽，能夠資助金忠赴通州。

金忠到了通州，順利地補了老哥的缺，收編入軍隊。由於四方安靖，沒有亂事，日子過得清閒自在。

因此，一方面爲了興趣，一方面也想賺幾個錢還債，偶爾金忠便到北平市，爲人卜上一卦。

一連算了幾個人都相當準，金忠的名氣就傳開了。人類天生具有多事的毛病，喜歡加油添醋的傳播市井流言，可供談笑助興，亦無傷大雅，不一會兒，金忠博得一個金半仙的美名。當然，他當初欠袁珙的盤纏費不但早就還清，而且加上一份厚禮。

袁珙與金忠惺惺相惜，也爲了拉小同鄉一把，於是，金忠也被延請到了燕王府；當場卜了一個鑄印乘軒之卦。

金忠拊掌大笑：『此象貴不可言。』

在道衍的一手安排之下，袁珙金忠的打邊鼓，把燕王的心擾攪得熱熱的，再加上周、湘、代、齊、岷諸王的相繼獲罪，燕王爲了自保，橫著心決定：『幹他一場吧。』

燕王府原是元朝北平故宮，寬大深邃，正好讓道衍用來練兵以及鑄造軍器。

製造軍器，免不了敲敲打打，比蓋房子還要吵鬧，路過的人，都非得把耳朵摀住不可。

燕王也覺得鑄造軍器太吵了，就對道衍說：『停，如此一來，非吵得天下皆知不可。』

道衍暫時停止了鑄造軍器。但是，他是個不死心的人。

第二天，道衍差人到菜市場，帶來一簍簍的鴨和鵝，讓牠們自由自在地在後苑中行動，一隻鴨子的聲音已經夠難聽的，幾百隻鴨鴨鵝鵝，一起扯開嗓子啞啞的叫，眞是既聒噪又刺耳。

道衍滿臉飛金去見燕王：『夠吵了吧！』

燕王皺著眉頭：『你在搞什麼鬼，把燕王府變成了動物園。』

『正好用來掩蓋鑄軍器的聲音啊。』

於是，鑄軍器的聲音被蓋住了，不過，燕王府沒事養這許多惡臭的鴨鵝，又是爲那樁？好事之徒更有興趣了。

閱讀心得

【第722篇】燕王上演瘋劇。

道衍爲了替燕王策劃起事，收攬才勇，儲備軍器，招兵買馬。又因爲鑄造兵器，敲敲打打的噪音響徹雲霄。道衍養了幾百隻鴨鵝，希望用鴨鵝的破鑼嗓子，能夠遮蓋鏗鏗鏘鏘的搥打聲音。

幾百隻鴨鵝扯起嗓子一塊喊，還眞是夠瞧的，也實在太難聽了。同時，鴨鵝乃烏合之衆，不懂規矩，到處亂跑，隨地排泄，害得燕王府裏的整潔完全被破壞了，走到那兒，不是一腳鴨屎就是一灘鵝糞。

燕王府變成了『養鴨人家』。如此奇怪的一件奇聞，立刻就有人傳到了南京。當然，燕王心中也有數，遲早是紙包不住火的。

在此之前，惠帝又做錯了一件事：

明太祖去世之前，遺命規定兒子們不許前來南京奔喪，以防邊境蠢動。於是，只好讓孫子輩代表，並且預定讓孫子們守孝三年，再回到兒子身邊。這一會兒，燕王準備起事，擔心惠帝會把他兒子當作人質。所以，藉口生了重病，乞求惠帝讓兒子趕回北平。

燕王這三個兒子的舅舅徐輝祖第一個不贊成，他上了一個密奏給惠帝：『我三個外甥都非等閒之輩，高煦尤其勇猛彪悍，非但不忠，而且叛父，簡直是無賴。今日放虎歸山，明日必成大患。』

可是，黃子澄有不同的看法。他自作聰明向惠帝建議：『依我之見，不如放他們三個回去，讓燕王誤以爲朝廷對他沒有懷疑，然後，再趁其不備，偷偷襲取。』

惠帝原本是個軟心腸的人，接受了黃子澄的意見，讓燕王三個心肝寶貝回北平去。

燕王原先舉棋不定，就是擔心這三個兒子，他雖然向惠帝提出了要求，將心比心，原以爲惠帝一定不肯答應。

因此，當燕王府內，下人通報，三兄弟平安歸來。燕王欣然色喜，拉著大的手，拍拍小的背，笑嘻嘻道：『我們父子復得團聚，這眞是老天幫忙。』

惠帝一面釋回燕王三個兒子，一面又悄悄地削減燕王的力量。譬如：以充實邊疆爲名，徵調燕王的護衛兵遠赴塞外。譬如，派遣工部侍郎張昺爲北平布政史，以謝貴、張信爲北平都指揮使司，伺察燕王的動靜。

燕王當然了解，惠帝對他起了懷疑，爲了自保，不被惠帝殺掉，在道衍等人的獻計下，便排了一齣『裝瘋』鬧劇。

有一天，燕王和羣臣們正在談論事情，談到皇帝的不信任，燕王似乎是滿懷鬱怒，臉色發白，全身顫抖，不自覺地往後直直倒下來，竟然昏厥過去了。

羣臣們大驚失色，有人連忙扶住燕王，有人忙著去廚房取現成的熱雞湯，舀了一碗，遞給道衍。

道衍指揮衆人把燕王扶到高背椅上，接著，把燕王的下巴一捏，嘴便張開了，道衍拿著小湯匙，一瓢一瓢的往燕王口中灌，灌到第四匙，聽得燕王喉頭一聲響，一口痰下去，氣回來了。

道衍把燕王抱了起來，放在虎皮上，氣息微弱的燕王，悠悠地睜開了眼，眼神呆滯，望一望周遭的人，搖搖頭，閉上了眼。

過了不久，燕王又睜開眼，對著衆人，吃吃地笑了起來。

道衍著急道：『看來情況不妙，怕不是瘋了？』

『瘋了？』衆人面面相覷，全沒了主意。

燕王在府中表演了一場『裝瘋』的序幕，把大家都矇過去了，自覺演技甚佳，信心大增，決定繼續演出。

第二天，燕王披頭散髮，蓬頭垢面，獨自闖入了一間酒店，酒保原是認識燕王，不過，燕王這副德行，可就認不出來了。

酒保一邊擺下幾碟小菜，一邊問道：『官人，吃甚下飯？』

『先打酒來！』燕王眼睛一瞪，酒保這才認出，那可不是燕王嗎？心下一驚，拉著另一個店小二在旁邊指指點點。

燕王的原意，就是要大家以爲他瘋了，既然是瘋子，總該有點瘋狂的舉動才像啊。

他站起身來，把桌上的碟兒盞兒一一的丟在樓板上，碎了一地。接著，又走到鄰桌，把盛了菜的碟子，一股腦地擲向樓板。

座上的客人，嚇得紛紛走避，顧不得吃了一半的佳餚美酒。

酒保可嚇壞了，連連搖手：『大王息怒。』旁邊一位書生模樣的客人對大家說：『我看，大王不是生氣，他分明是瘋了。』

一聽這話，旁邊看熱鬧的人，更有興趣了。連忙往後倒退，免得誤中燕王投射的盤盤碗碗。燕王看到大夥兒『中計』，於是把碗盤當成飛鏢，往牆上砸，一邊又笑又跳，跑來跑去。

店小二心想，燕王府有的是錢，不愁他們不會賠，也就操著手，安安靜靜地欣賞燕王的發瘋。

『燕王瘋了』這個消息，經過酒店客人一傳十，十傳百，再加上加油添醬，一會兒工夫，整個北京城，全都傳開了，有人歎息，有人幸災樂禍，也有人半信半疑。

為了讓大家相信，燕王的瘋劇還要演下去。過了幾天，燕王穿著一身髒衣服，一搖一擺地去逛街，有時對著柱子癡癡地笑，有時會靠著牆邊大哭，忽然，看到一堆爛泥，燕王一腳踏了進去，然後，竟然躺了下來，稀稀的爛泥覆滿了一身。

圍觀的人，看到燕王的瘋相，議論紛紛，有些好心的人，跑到燕王身邊，想叫燕王起來，低頭一看，才發現燕王在爛泥裏睡著了。

大夥兒七嘴八舌叫嚷著，但是裝瘋的燕王就是不醒，一直睡到傍晚。

有人歎息：『想燕王是何等風度翩翩，頂愛漂亮的美男子，如果不是瘋了，才不會這般邋邋遢遢。』

看來，燕王的『瘋』劇演出十分成功，讓所有的觀衆都信以爲眞。不過，演戲的不是瘋子，看戲的倒是傻子。當然，燕王裝瘋的目的是希望惠帝不要殺他。

閱讀心得

【第723篇】張信夜探燕王府。

一個寒風料峭，黑漆漆，陰森森，沒有月亮的晚上，巍峨的燕王府前面，赫然出現一條黑色的身影，躡手躡腳地走向大門的守衛。

他輕聲地對守衛說：『聽說王爺病了，我想拜見王爺。』

『對不起，王爺遵照醫師囑咐，不能見客。』

侍衛客氣地回答。

黑影躬一躬身，迅速地離開了燕王府的大門。

這黑影不是別人，就是北平都司張信。

張信是臨淮人，父親張興，原是永寧衛指揮僉事，張興過世以後，張信就繼承了父親的官位，以後，移守普定、平越，積功都指揮僉事。

惠帝即位，不放心在北平的燕王，擔心燕王謀反，要派幾個人到北平去臥底，監視燕王的舉動。

有位大臣推薦張信，誇他：『有勇有謀。』於是，張信被惠帝調往北平，擔任北平都司。

張信初見燕王，就對燕王的神采大爲傾倒。尤其他是見過惠帝的。相形之下，燕王眞是威儀天成、氣度非凡，遠非惠帝的文弱柔嫩可比。

燕王也欣賞張信的豪邁，幾次交談，都很投機，兩人的感情逐漸建立

起來。久而久之，張信幾乎忘記自己是來臥底的。

但是，惠帝的智囊——齊泰和黃子澄可沒忘記，隨時有指令傳下。

話說燕王爲了自保，發起瘋來，確實也瞞過了不少人。但是，齊泰與黃子澄可不容易上當。恰好，燕王派了護衛百戶鄧庸到南京奏事。齊泰一聲令下：『拿下來問話。』鄧庸立刻嚇軟了手腳。

爲了保命，鄧庸一五一十地把燕王府中的情形全盤托出。

『燕王到底是眞瘋，還是裝瘋？』齊泰問道。

『臣也不清楚，不過，燕王府中鑄造兵器可沒停止，不但沒停，並且夜以繼日在趕工。』

齊泰、黃子澄聽了鄧庸的話，互相商量了一陣子，他們認爲燕王是裝瘋，早晚一定會謀反，所以作了一個結論——先下手為強。

於是，齊泰以惠帝的名義，下了一道密詔給張昺、謝貴與張信，要他們：『速謀燕王。』

張信接到了密詔，臉色一變，既憂且急，簡直不知道該怎麼辦。回到家裏，一個人呆呆坐在書桌前猛搔頭皮。張信的母親是個聰敏的婦人，眼見張信的神情，就知道兒子心裏一定有疑難。

吃飯的時候，張信魂不守舍，伸出筷子，兩眼發直，不知道要夾那一樣菜，愣在半空中。

張老太太柔聲地問：『兒啊，你是不是有甚麼心事？』

張信自小就十分佩服母親是個有智慧的人，聽母親一問，心想不如把事情說出來，和母親作個商量。

於是，張信拉了母親，躲進內室，小聲地附在母親耳朵邊，把惠帝密詔的事，講給母親聽。

張老太太一聽之下，臉色全變了，她著急地說：『萬萬不可，你父親在世時，經常告訴我，燕王有天子氣，算命先生也都說，燕王有帝王之相。最重要的是，你現在在北平做官，是燕王管轄之下，燕王也是你的君，豈可不忠於燕王？依我看來，燕王發瘋只是避人耳目。再說，要謀害燕王，究竟是皇上的本意，還是齊泰、黃子澄假借天子之名，發出的密詔，個中眞假，誰又知道呢？』

張信聽了母親的分析，心裏佩服得不得了，不停地點頭。

『信兒啊，』母親用低沈的聲音告誡道：『你要小心，別把整個張家逼上死路啊。』

張信惶恐極了，惴惴然問道：『事到如今，孩兒又該怎麼辦呢？』

『立刻向燕王表白心跡。』張老太太的語氣顯得十分果斷。

張信立刻換過衣服，趁著天黑，急奔燕王府，不料，卻撲了個空，垂頭喪氣回到家。

站在門口等候的張老太太，一見張信的神色，就猜到張信吃了個閉門羹，她拍拍張信的肩膀：『孩子，明晚再去，告訴守衛，你有要事稟報。』

第二天晚上，張信又到了燕王府，他正色地對守衛說：『我有重要事求見王爺，你們一定要替我通報。』

守衛怔怔地望著張信，見他一臉嚴肅，不像是開玩笑的樣子，思慮半晌道：『張大人，我會稟告王爺，你明天再來試試看。』

第三天晚上，張信果然見到了燕王，燕王表情呆滯，一語不發，直直望著天花板，看不出來是不是真的發瘋。

張信領了母親的耳提面命而來，決定把燕王當成沒病的普通人看待。張信重重地磕了一個響頭：『臣罪該萬死，請殿下恕臣死罪。』他偷偷地瞄了一眼燕王，毫無動靜，決定繼續講下去：『臣是皇上派來臥底，監視殿下行動的。』

說到這兒，燕王還是表情木然，張信想了好一會兒，膝行向前，雙手捧上密詔，輕聲地說：『臣不敢欺騙殿下，不過臣有肺腑之言，冒死上陳，這是臣剛剛接到的密詔，命臣儘速謀害殿下，密詔在此，請殿下過目。』

燕王突地自床上一躍而起，搶過密詔，來到燭台前細看，他身手靈敏，目光炯炯，英氣逼人，那呆滯、瘋癲的神態一掃而光。

燕王看過密詔，轉身望著張信，雙膝落地，執著張信的手說道：『我們全家大小，全是你救的。』

張信嚇得趕緊伏在地上猛磕頭，口裏直說：『臣不敢當，臣不敢當。』

燕王站了起來，同時拉起了張信，和藹地說：『謝謝你，我會報答你的。』

閱讀心得

閱讀心得

閱讀心得

歷代・西元對照表

朝　　代	起迄時間
五帝	西元前2698年～西元前2184年
夏	西元前2183年～西元前1752年
商	西元前1751年～西元前1123年
西周	西元前1122年～西元前 771年
春秋戰國(東周)	西元前 770年～西元前 222年
秦	西元前 221年～西元前 207年
西漢	西元前 206年～西元 8年
新	西元 9年～西元 24年
東漢	西元 25年～西元 219年
魏(三國)	西元 220年～西元 264元
晉	西元 265年～西元 419年
南北朝	西元 420年～西元 588年
隋	西元 589年～西元 617年
唐	西元 618年～西元 906年
五代	西元 907年～西元 959年
北宋	西元 960年～西元 1126年
南宋	西元 1127年～西元 1276年
元	西元 1277年～西元 1367年
明	西元 1368年～西元 1643年
清	西元 1644年～西元 1911年
中華民國	西元 1912年

國家圖書館出版品預行編目資料

全新吳姐姐講歷史故事. 33. 明代/吳涵碧 著.
--初版.--臺北市；皇冠，1995〔民84〕
面；公分（皇冠叢書；第2390種）
ISBN 978-957-33-1169-0（平裝）
1. 中國歷史

610.9　　84000130

皇冠叢書第2390種
第三十三集【明代】
全新吳姐姐講歷史故事〔注音本〕

作　　者—吳涵碧
繪　　圖—劉建志
發 行 人—平雲
出版發行—皇冠文化出版有限公司
台北市敦化北路120巷50號
電話◎02-27168888
郵撥帳號◎15261516號
皇冠出版社(香港)有限公司
香港銅鑼灣道180號百樂商業中心
19字樓1903室
電話◎2529-1778　傳真◎2527-0904
印　　務—林佳燕
校　　對—皇冠校對組
著作完成日期—1992年01月01日
香港發行日期—1995年09月25日
初版一刷日期—1995年10月01日
初版三十二刷日期—2021年05月
法律顧問—王惠光律師

讀者服務傳真專線◎02-27150507
電腦編號◎350033
ISBN◎978-957-33-1169-0
Printed in Taiwan
本書定價◎新台幣150元/港幣45元